LES MASQUES DES HOMMES

COMMENT ET POURQUOI LES HOMMES CACHENT-ILS LEURS ÉMOTIONS ?

Yvan Phaneuf

LES MASQUES
DES HOMMES

COMMENT ET POURQUOI LES HOMMES
CACHENT-ILS LEURS ÉMOTIONS ?

Un livre écrit dans le but de bien connaître nos masques, pour mieux les retirer et ainsi passer d'une virilité hiérarchisée à une masculinité plus humaine

LES ÉDITIONS DAHLIA

ÉQUIPE DE PRODUCTION

Révision et correction d'épreuves : Suzanne Brind'Amour, Guylaine Champagne, Nicole Demers et Jocelyne Malo

Montage : Dominique Chabot

Couverture : Tac•Tic Marketing et Communication

LES MASQUES DES HOMMES

©Les Éditions Dahlia inc.
52, rue Saint-Georges
Drummondville (Québec)
Canada   J2C 4G5

Téléphone : (819) 474-5888
Télécopieur : (819) 478-5966

Un pour cent des ventes de ce livre ira directement à la fondation *Le couple heureux, c'est possible.*

Dépôt légal — Bibliothèque nationale du Québec, 2000
Bibliothèque nationale du Canada, 2000

ISBN 2-980-6675-0-1

Imprimé au Canada

1 2 3 4 5   04 03 02 01 00

Je dédie ce livre à Mme Colette Portelance pour lui exprimer ma reconnaissance indéfectible pour ce qu'elle m'a apporté, autant sur le plan relationnel que professionnel, par le biais du Centre de relation d'aide de Montréal.

Je dédie aussi ce livre à tous ceux et celles que j'ai croisés et qui, grâce à leur acceptation, leur affection et leurs encouragements, ont contribué à ma renaissance en tant qu'homme.

Et à tous ceux et celles qui visent une vie intimiste et sans masques !

Yvan PHANEUF

L'enlever...

our se retrouver...

*R*emerciements

En ce moment, il m'est particulièrement agréable de manifester toute ma gratitude aux personnes qui ont contribué de façon directe ou indirecte à la réalisation de ce livre. C'est un peu comme si j'étais sur le point de partager un généreux repas. J'éprouve aussi une certaine nostalgie puisque c'est probablement le dernier geste d'écriture que j'y pose. Par ce temps d'arrêt, j'en profite aussi pour écouter les émotions qui se déclenchent en moi; je revois tout le cheminement qui m'a permis d'aboutir à ce résultat. Il me vient des visages... de nombreux visages, de beaux moments de retrouvailles amoureux et relationnels, des moments de souffrance, de solitude et de frustration, des moments de découragement, de peur, d'exaltation et de confiance. Une belle aventure qui m'a conduit à la spiritualité, à cette grande découverte sur une route rendue vivante, et ce, grâce à la diversité des émotions ressenties par le retrait de mes masques. Merci donc dans un premier temps à Dieu, ou appelez-le comme bon vous semble; merci à Celui qui tout au long de ce voyage m'a accompagné, à Celui qui a toujours été présent à mes côtés pour donner une signification beaucoup plus grande à mon travail d'écriture et d'aidant. Sans cette force naturelle et spirituelle de la vie je me sens perdu, mais avec elle je ne me sens plus seul.

Merci aussi à Mmes Guylaine Champagne et Clara Toner, directrices de recherche, pour leur grande foi en moi. À MM. François Lavigne, David Portelance et Guillaume Lavigne-Portelance des Éditions du CRAM pour leurs généreux conseils et leur grande expertise du monde des affaires, ce qui m'a permis de créer ma propre maison d'édition. À Mme Suzanne Brind'Amour pour sa générosité et son apport à la correction. À Mme Dominique Chabot pour son support, sa confiance et son professionnalisme en ce qui a trait à la mise en pages et aux exigences du monde de l'édition. À Mmes Geneviève Biron et Ginette Tessier de l'agence de communications À votre convenance pour leur grande confiance en moi et leur énergie créatrice sans frontières.

Un merci tout spécial à M. Rémi Auclair de l'Auberge des Îles du Bic près de Rimouski pour ce lieu idéal d'écriture.

Ma gratitude découle d'une façon naturelle, pour pallier à mes nombreuses peurs face à ce projet d'envergure, de mon besoin d'être soutenu, reconnu, valorisé; ce besoin est une nourriture affective importante qui m'a été fournie généreusement par des personnes que j'ai d'abord côtoyées et par la suite apprivoisées, et sans lesquelles je ne me serais peut-être pas réalisé par ce projet de livre et d'édition. Merci d'avoir cru en moi et de me l'avoir dit.

Précision

Ce livre résulte d'un travail de recherche que j'ai effectué pour l'obtention d'un diplôme d'études supérieures avancées (DESA) au Centre de relation d'aide de Montréal (CRAM). Il s'agit d'un travail de type recherche-action, c'est-à-dire qu'il n'a pas été effectué à partir de théories mais d'observations. La première étape a été l'observation de moi-même, comme homme, ma façon de cacher mes émotions, de porter mes masques, pour ensuite répondre à la question « Comment et pourquoi, moi, je cache mes émotions ? » Par la suite, mes observations et mes hypothèses ont été validées par diverses méthodes : observations et échanges avec des hommes rencontrés en consultation individuelle, en couple et en groupe, et enfin cueillette d'informations par le biais d'une enquête. Après trois ans de patient labeur, je me suis mis à la recherche de la documentation capable d'étayer mes propres théories. C'est donc un travail profondément humain, un dialogue cœur à cœur et non tête à tête que vous trouverez dans ce livre, et je suis pleinement conscient que ce choix peut indisposer ceux qui privilégient plutôt une approche rationnelle. Pour plus de satisfaction, je vous invite maintenant à vous situer sur le plan de l'observation de votre vie quotidienne, par l'écoute, l'accueil et l'expression de vos émotions, apprenant de votre façon d'agir et de réagir, et cela, pour prendre conscience de la manière dont vous dissimulez ces émotions et des raisons pour lesquelles vous le faites. En fait, ce livre débute avec la question « Comment et pourquoi, moi, Yvan Phaneuf, je cache mes émotions ? » Je vous invite à aborder votre lecture en cherchant à répondre à la question : « Comment et pourquoi, moi, _____, je cache mes émotions ? »

(votre nom)

Merci,

Yvan Phaneuf

Table des matières

COMMENT ET POURQUOI LES HOMMES CACHENT-ILS LEURS ÉMOTIONS ?

> **Un masque dresse un mur affectif entre soi et les autres, à partir d'une coupure émotive avec soi-même.**

L'objectif de cet ouvrage est d'amener le lecteur à retirer son masque, à démanteler ce mur affectif, afin de parvenir à une plus grande liberté et de répondre davantage à ses besoins affectifs, qui sont les sources de son bonheur. Je suis persuadé qu'en se démasquant l'homme pourra prévenir chez lui autant les comportements compulsifs et destructeurs que le suicide. Je nourris depuis plusieurs années la passion de l'authenticité, qui passe nécessairement par l'obligation de me démasquer. J'ai vite réalisé que les hommes ont des masques qui leur sont propres, des masques que j'ai moi-même portés et que je porte encore. Si l'on veut mettre fin à cette comédie, qui dégénère souvent en tragédie, il faut d'abord prendre conscience que l'on porte un masque. Mon but premier est de favoriser cette prise de conscience et l'acceptation de ce réflexe conditionné afin que les porteurs de masques puissent poser ce geste d'humilité pour l'homme : la dénonciation des mécanismes de défense que sont les masques pour en arriver à l'expression de leur sensibilité et de leur émotivité réelle, soit à l'authenticité.

Pour favoriser cette prise de conscience, je débuterai, dans la première partie intitulée « **Comment les hommes cachent-ils leurs émotions** », par la description détaillée des masques eux-mêmes : ce qu'ils sont, leur origine historico-sociale, ce qu'ils cachent du passé de l'enfant et ce qu'ils représentent sur le plan de l'émotivité. Je démontrerai que chacun des masques s'appuie sur des peurs distinctes, qu'il s'agisse d'un masque de douceur, de rationalité ou de dureté. Ensuite, le plus simplement et le plus clairement possible, j'exposerai au lecteur les moyens de les retirer tout en préservant son identité d'homme. Je traiterai ainsi d'une vision différente, à l'encontre des fausses croyances sur l'identité masculine, croyances qu'on a toujours eu tendance à vouloir nous imposer. Cette vision, je la résumerais comme suit : sans masques, l'identité masculine se raffermit plutôt qu'elle ne s'affaiblit. Dans la deuxième partie intitulée « **Pourquoi les hommes cachent-ils leurs émotions** », j'exposerai comment s'établit la confusion de l'identité chez les jeunes garçons et comment s'intègre le conditionnement social. Ces questions seront abordées principalement dans les deuxième et troisième chapitres. Dans le dernier chapitre, j'expliquerai comment, au point de vue social, se confirme et se cristallise ce conditionnement, qui repose à l'adolescence sur de fausses croyances.

Le livre que je vous offre peut être un outil indispensable dans votre cheminement personnel car il présente de multiples pistes de réflexion qui sauront, j'en suis convaincu, vous guider dans ce merveilleux voyage d'introspection. Les masques sont nés de l'interdiction d'exprimer ses émotions réelles. Ils maintiennent cette interdiction par l'inconscience et la perpétuent chez ceux qui côtoient les hommes masqués, entre autres chez les enfants. Les masques se construisent à partir d'une confusion relative à l'identité, et ce, particulièrement au cours de la petite enfance (0-6 ans). Durant cette période de confusion, le petit garçon qui se développe cherche à se couper de son émotivité; il devient un terrain propice sur lequel se développe, telle de la mauvaise herbe, le conditionnement social de l'homme, celui du vrai mâle.

Je m'attaquerai entre autres aux racines du masque dans l'éducation. Je tiens au départ à vous avertir, parents et éducateurs, et ce, avec beaucoup d'empathie, que la lecture de la deuxième partie du livre, qui traite de l'éducation et de son impact dans la transmission héréditaire des masques, peut déclencher en vous un sentiment de culpabilité, conséquence de certains gestes ou omissions de votre part. Cette partie sur l'éducation vous inspirera sûrement un sentiment d'inquiétude quant à l'avenir des enfants dont vous avez eu ou avez encore la responsabilité. J'en suis pleinement conscient, mais cette culpabilité et ces inquiétudes ne doivent pas vous conduire à l'aveuglement face à une déficience du système éducationnel, encore moins à l'autodévaluation, à l'autopunition ou à l'autodestruction. Votre sentiment de culpabilité et vos inquiétudes doivent être accueillis et dépassés, pour qu'il vous soit enfin possible de dissiper la brume autour du conditionnement à la virilité. Je sais aussi fort bien que plusieurs enfants reconnaissent à juste titre la contribution de leurs parents à leur éducation, et je tiens à les rassurer en leur disant que le présent ouvrage ne se veut nullement accusateur.

J'aimerais également mettre en garde certains adultes qui ont été blessés durant leur enfance contre la tentation

de nourrir de l'amertume et d'intensifier leur culpabilisation envers des parents qui souvent ont agi avec ce qu'ils
avaient reçu. Je leur recommande d'éviter ce piège afin de
ne pas continuer à entretenir le cycle violent de la virilité,
cycle fait de ressentiment et de vengeance. Le travail à faire
se trouve entre nos mains, aujourd'hui. On le découvre
dans nos relations présentes, dans nos réactions et dans
nos émotions momentanées. Entre les mains aussi de ceux
et de celles qui désirent un changement positif, changement qui ne saurait venir que de vous et pour vous. Ce
changement doit partir de vous et être fait sans attente de
changements de la part de votre entourage. Ainsi, un de
mes objectifs est de dénoncer les actes éducationnels à
portée négative, lesquels, malgré le bon vouloir, favorisent
la mise en place de masques de virilité plutôt que l'expression de l'authenticité; il faut s'attaquer à la transmission
de ces masques. Cet objectif vise à développer un changement positif (non pour nous culpabiliser, mais pour prendre conscience de l'effet négatif qu'ont les masques sur
nous, et ce, afin d'éviter dans la mesure du possible de les
retransmettre à notre tour). Un tel changement vous permettra de vous améliorer comme personne et comme parent, comme ce fut le cas pour moi. Voici le moment de
vous faire un aveu qui, je le souhaite, vous encouragera à
dépasser votre sentiment de culpabilité si déjà il existe.

Au cours de ma démarche de formation thérapeutique,
il m'est arrivé d'adopter certains comportements qui nui-
saient à l'éducation de ma fille et d'en prendre conscience;
j'ai eu alors beaucoup de mal à accepter mes erreurs. J'ai
eu de la peine et j'ai souffert de culpabilité. J'ai pleuré et
j'ai regretté. Mais avoir fermé les yeux pour fuir ma culpabilité ne m'aurait pas fourni la chance de m'améliorer et
de me rapprocher d'elle. Lorsqu'on se défend contre sa
culpabilité, on s'insensibilise et on s'éloigne des gens

envers qui on éprouve cette souffrance. Nous verrons plus loin à quel point la culpabilité peut être un tremplin qui nous aide à devenir plus sensibles aux autres; nous en couper complètement, ce serait devenir insensibles.

CAS VÉCU

LA CULPABILITÉ DANS L'ÉDUCATION

Un après-midi, accompagné de ma conjointe, je conduisais ma fille chez sa grand-mère. En arrivant chez la mamie, je dis sèchement à ma fille de voir à ce que ses effets soient ramassés lorsque je viendrais la chercher, dans une heure. En m'éloignant avec ma conjointe, je lui déclarai qu'en début de journée j'étais intervenu auprès de notre fille pour lui souligner sa tendance à donner sèchement des ordres et à contrôler ses amis, ce que, semble-t-il, ils n'appréciaient guère. C'est alors que ma conjointe me fit remarquer la façon dont je venais de parler à ma fille. Je faillis me défendre et me justifier, puis, conscient de ma façon d'agir, je me tus; j'écoutai en reconnaissant les faits et en faisant le lien avec le comportement que je demandais à ma fille d'adopter. Je fus très mal à l'aise, me sentis coupable et en eus de la peine : je me sentais alors responsable du comportement antisocial de ma fille, ce qui aurait pu m'amener à refuser cette prise de conscience pour éviter de me culpabiliser. Une fois seul chez moi, je pleurai en repensant à ce qui venait de se produire. J'acceptai cette souffrance qui me motivait à être vigilant à l'avenir. Je n'avais plus le contrôle sur cet événement passé, mis à part le fait que je pouvais encore m'excuser. C'est ainsi qu'à partir du lendemain matin, plutôt que de brusquer ma fille en lui donnant sèchement des ordres, j'ai commencé à m'adresser à elle d'une façon plus chaleureuse, mais sans équivoque. C'est une conduite à laquelle je porte attention depuis longtemps; en restant en contact avec la souffrance que la culpabilité m'avait fait vivre, j'ai trouvé la motivation de changer mon attitude avec encore plus de profondeur, et ce, tout en restant proche de mon enfant.   ■

C'est parfois si facile de brusquer les autres pour avoir ce qu'on veut qu'il faut vraiment une bonne motivation pour emprunter une nouvelle façon de faire, surtout lorsqu'on a été soi-même éduqué ainsi ! En ne refusant pas de ressentir ce mal qu'est la culpabilité, j'ai trouvé la motivation nécessaire au changement. J'avais, lors de l'épisode avec ma fille, répété ce que j'avais appris, comme mes parents avaient probablement répété eux aussi ce qu'ils avaient appris de leurs propres parents. La vie n'est pas parfaite et, par les prises de conscience et les regrets, on a la chance de pouvoir l'améliorer sans cesse. C'est pourquoi, lorsque vous commettrez une erreur en matière d'éducation, je vous encourage fortement à vous laisser toucher par la peine, la culpabilité et les regrets que vous pourrez alors vivre. Vous vous donnerez alors la motivation nécessaire pour vous améliorer et briser ainsi la chaîne héréditaire du silence des hommes; vous apprendrez par vous-même à enlever votre masque. Au contraire, si vous fermez les yeux, vous contribuerez à perpétuer ce mal planétaire qu'est la violence par l'inconscience, violence soutenue par le conditionnement à la virilité dissimulé derrière les masques.

Au seuil de cette lecture, qui démontre que l'homme libéré de ses masques devient un homme vrai et plus libre plutôt qu'un « vrai homme », je vous offre un moment de douceur, une courte histoire qui montre que l'homme qui porte un masque s'isole par peur de sa vulnérabilité et se prive ainsi de goûter l'amour, l'affection et la tendresse nécessaires à son bonheur. Cette histoire, qui a été écrite par Tadjo, me fut remise par une amie.

Histoire de l'homme aux sept masques

Il était une fois un homme qui portait sept masques différents, un pour chaque jour de la semaine. Quand il se levait le matin, il se couvrait immédiatement le visage avec un de ses masques. Ensuite, il s'habillait et sortait pour aller travailler. Il vivait ainsi sans jamais laisser voir son vrai visage.

Or, une nuit, pendant son sommeil, un voleur lui déroba ses sept masques. À son réveil, dès qu'il se rendit compte du vol, il se mit à crier à tue-tête : « Au voleur ! Au voleur ! » Puis il se mit à parcourir toutes les rues de la ville à la recherche de ses masques.

Les gens le voyaient gesticuler, jurer et menacer la terre entière des plus grands malheurs s'il n'arrivait pas à retrouver ses masques. Il passa la journée entière à chercher le voleur; en vain...

Désespéré et inconsolable, il s'effondra, pleurant comme un enfant. Les gens essayaient de le réconforter, mais rien ne pouvait le consoler.

Une femme qui passait par là s'arrêta et lui demanda :

— Qu'avez-vous, l'ami ? Pourquoi pleurez-vous ainsi ?

Il leva la tête et répondit d'une voix étouffée :

— On m'a volé mes masques et, le visage ainsi découvert, je me sens trop vulnérable.

— Consolez-vous, lui dit-elle, regardez-moi, j'ai toujours montré mon visage depuis que je suis née.

Il la regarda longuement et il vit qu'elle était très belle.

La femme se pencha, lui sourit et essuya ses larmes.

Pour la première fois de sa vie, l'homme ressentit, sur son visage, la douceur d'une caresse.

Tadjo

> **L'homme sans masques a peur de sa vulnérabilité; pourtant, c'est avec elle qu'il connaîtra le bonheur dans ses relations.**

PREMIÈRE PARTIE

COMMENT LES HOMMES
CACHENT-ILS LEURS ÉMOTIONS ?

Chapitre 1 :   La description des masques

LA DESCRIPTION
DES MASQUES

> *Les masques, malgré leurs appa-*
> *rences, leurs profondeur d'enra-*
> *cinement et leurs causes, sont*
> *tous des prisons qui présentent*
> *des façades différentes.*

La cristallisation des masques est la somme de toutes les attitudes inconscientes adoptées par les hommes dans le but de prouver leur virilité. Ces comportements se sont intensifiés au point de faire croire qu'ils font partie intégrante de la personnalité. Ils sont devenus un réflexe défensif, difficilement remis en question, et le résultat d'un conditionnement pour cacher la sensibilité, les besoins et la vulnérabilité, leurs objectifs étant de survaloriser les attitudes d'agressivité, d'affirmation, de confrontation, d'analyse et de compétition. Ce processus amène les hommes, en réaction aux humiliations subies dans leur sensibilité, à développer un solide orgueil entretenu par une apparence de fausse rationalité ou de dureté. Il en résulte la mise en place des masques de virilité ou d'anti-virilité.

CAS VÉCU

Un masque de dureté et d'indépendance

Je me souviens de cet homme qui est venu me consulter. Il se présenta à ma porte d'un pas décidé, affichant un air agressif et provocateur et me demanda : « Aïe mon homme ! J'peux-tu fumer icitte ? » Lorsque je l'informai de mon refus et de l'importance que cela avait pour moi, il tourna les talons en me répondant toujours sur le même ton : « Bon ben, moé, j'm'en r'tourne ! » Je restai surpris sur le moment et mal à l'aise. Ce n'était pas son choix qui m'incommodait, c'était son attitude défensive. Malgré son apparente détresse et son besoin d'être aidé, il s'emmurait derrière cette attitude de fausse indépendance, amenant le contrôle sur les autres. Personnellement, je me suis senti agressé par cette attitude et j'ai eu peur. J'éprouvai ensuite une colère issue de la rivalité et de la compétition masculines, celles-ci encourageant un rapport dominé-dominant. J'ai résisté à ma pulsion de le confronter car j'en connais les conséquences négatives. Cela me désola de constater que cet homme, en voulant se montrer viril, indépendant et fier, niait une souffrance intérieure et se privait de l'aide dont il avait besoin. Il ne faisait preuve d'aucune ouverture en refusant de respecter la consigne l'obligeant à ne pas fumer pendant une heure. Il en était inconscient et, en refusant d'obtempérer à cette règle, il se privait de l'aide nécessaire pour améliorer la communication dans sa relation de couple, à l'intérieur de laquelle il agissait probablement avec la même fermeture. Cette attitude, sûrement apprise dans sa famille immédiate, risque de lui attirer des relations de pouvoir de type perdant-gagnant, dominé-dominant. La virilité encourage de tels gestes d'orgueil. Elle prive malheureusement plusieurs hommes ainsi que leur entourage d'une meilleure communication et de la satisfaction de leurs besoins affectifs mutuels. Ce constat est d'une importance capitale car le chemin pour retrouver le droit à l'émotion et à la sensibilité passe par la conscience de ses attitudes défensives. Ces valeurs erronées incitent les hommes à vouloir se montrer de « vrais hommes » plutôt que des hommes vrais. C'est pourquoi il est primordial de dénoncer ces attitudes de virilité pour se débarrasser des masques. ■

Dans ce chapitre, je définirai d'abord l'origine et le sens du mot « masque », je présenterai ensuite les trois types de masques, et finalement j'en spécifierai les sources. Je ferai également la description de douze masques et j'expliquerai le fonctionnement ainsi que les conséquences pour chacun. Enfin, je vous proposerai un exercice simple pour vous faire prendre conscience de vos propres masques et je vous montrerai la façon de les retirer.

L'homme qui résiste à la congruence cherche à cacher ses émotions, par peur d'être ridiculisé ou humilié, en utilisant un masque. Feindre un personnage, c'est faire semblant d'être quelqu'un qu'on n'est pas par peur d'être découvert par les autres ou de découvrir soi-même qui on est vraiment. Souvent, à défaut d'identité, le masque dominera l'homme qui n'accepte pas sa sensibilité. Moins l'identité est forte, plus les masques le seront. L'identité représente beaucoup plus un sentiment intérieur qu'une image extérieure que l'on reflète. Cette identité a besoin d'être exprimée d'une façon ou d'une autre pour que l'homme existe et vive en fonction de ses besoins réels et non en fonction de ses peurs. La congruence des émotions est le moyen d'expression privilégié pour ressentir ou renforcer l'identité nécessaire à l'équilibre psychologique.

J'ai constaté que plus une personne pense et agit en fonction des autres par manque d'identité, moins elle est capable de congruence et moins elle a une identité solide.

Son identité devient confuse. Pour l'homme centré sur le paraître plus que sur l'être, le personnage, le masque et les introjections deviennent une prison dans laquelle sa vraie personne étouffe et meurt à petit feu. Pour bien démontrer cela, je citerai Réjean, jeune cadre dans une multinationale.

CAS VÉCU

RÉJEAN ET SES EXIGENCES PROFESSIONNELLES

Il vient me rencontrer avec des symptômes d'épuisement professionnel. Il a déjà fait un *burn out*. Ce ne sont pas les tâches reliées à son travail qui le rendent ainsi, et il le réalise rapidement, mais plutôt l'énergie qu'il dépense à personnifier le cadre parfait, toujours souriant, de bonne humeur et à jour dans tous ses dossiers. Il découvre, au cours des séances de thérapie, les introjections inconscientes qu'il a acquises étant enfant, autant sur l'image professionnelle que sur la performance. « On doit toujours être souriant et paraître en forme pour ne pas transmettre de mauvaises énergies aux autres [...] On ne doit jamais se plaindre, et faire toujours son maximum pour atteindre les objectifs fixés [...] Il faut toujours se montrer fort et cacher ses difficultés, à ses confrères et patrons particulièrement [...] Demander de l'aide est un signe de faiblesse et d'incompétence », etc. En fuyant sa peur d'être faible et incompétent et en niant sa souffrance de perdre sa valeur professionnelle, il croyait pouvoir correspondre à ces introjections. Il redoutait que ses patrons n'aient plus confiance en lui, au point que certains jours il en était persuadé. Cela le mettait sur la défensive dans sa façon de justifier sans arrêt ses décisions et ses gestes. Il se cachait et s'isolait pour travailler, et surtout en faisait plus qu'il ne le pouvait vraiment. Il voulait prouver aux autres qu'il était un bon cadre. Malheureusement, il devint exactement le contraire de ce qu'il voulait, c'est-à-dire qu'il devint de mauvaise humeur, agressif et dépassé. Il défonçait ainsi sans cesse ses limites, ce qui entretenait son épuisement. Par peur de « perdre la face » ou de s'abaisser en avouant ses limites devant ses patrons, Réjean s'entêta à rester dans ce personnage de « cadre parfait ». En restant sourd à ses limites, à ses besoins et à ses malaises, il se rendit malade. Il prit conscience de son fonctionnement : il vivait plus en fonction des autres que de lui-même. Cette constatation lui a permis de réaliser qu'il avait emprunté de son père cette propension à la performance. Il avait appris à ne jamais exprimer ses difficultés et ses besoins pour ne pas avoir l'air de se plaindre, même au détriment de sa santé, de ses humeurs et de ses besoins. Il a beaucoup souffert du manque d'amour et de reconnaissance de la part de son père lorsqu'il ne répondait pas à ses introjections. Il adopta inconsciemment un masque d'infaillibilité et d'exigence encore plus performant que celui de son père, et ce, pour lui montrer qu'il était le meilleur, tout en n'osant lui avouer son besoin de considération et d'affection. Démontrer ses limites et son émotivité à son père et aux autres était très humiliant pour Réjean; c'est pourquoi il s'investit pendant plusieurs années à la fabrication d'un masque d'anti-émotivité, jusqu'à ce que ce masque se fissure par l'épuisement professionnel. ■

> **Le manque d'expression des émotions entretient l'individu dans une confusion de son identité. Il ne sait plus vraiment qui il est et ce dont il a besoin. C'est ainsi qu'il se perd.**

Cette confusion entre ses émotions et l'image qu'il veut présenter porte l'homme à agir et à faire des choix basés sur ses peurs et sur l'extérieur. C'est ainsi qu'il mise plus sur ses introjections au détriment de sa personne qui, elle, se barricade derrière un masque. Bref, c'est ainsi qu'il stoppe le développement clair de sa propre identité.

Le sentiment profond d'identité passe par l'expression de l'authenticité, des émotions et des sentiments réels, même si cela peut faire vivre à celui qui les exprime des moments désagréables de peur, d'abaissement et de perte momentanée de son identité masculine. L'homme sortira gagnant s'il affronte ainsi ses peurs viscérales de s'humilier, d'être critiqué ou rejeté, car il évitera de se masquer. Le sentiment d'identité trouve sa force dans l'expression plutôt que dans le conformisme aux valeurs extérieures. Sinon, pour se défendre de ses peurs d'être humilié ou ridiculisé dans l'expression de ses émotions et de sa vulnérabilité, l'homme développera des personnages qui sont l'équivalent des masques, et se maintiendra dans le silence de ce qu'il est vraiment. Voyons ce que Colette Portelance dit à ce sujet.

> L'enfant apprend très jeune à présenter une image de lui-même qui ne lui ressemble pas, mais qui a pour avantage de lui attirer l'approbation et l'amour de ses éducateurs. Il enregistre ainsi inconsciemment que ce qu'il est vraiment n'est pas correct et que, pour être aimé, il doit être ce que ses parents et ses professeurs veulent qu'il soit. C'est alors qu'une partie importante de lui-même est niée et remplacée par un personnage qu'il croit idéal. Et pour maintenir l'image, il ira jusqu'au conformisme le plus annihilant et jusqu'au mensonge le plus innocent et le plus inconscient. Sauver l'image devient presque, pour lui, une question de survie en ce sens qu'elle est inconsciemment liée à l'amour. Perdre l'image, c'est perdre l'amour[1].

---

1. PORTELANCE, C. *La liberté dans la relation affective*, Montréal, Les Éditions du CRAM inc., 1996, p. 504.

J'aime beaucoup cette réflexion de Mme Portelance, car elle nous fait bien voir le fonctionnement, la construction et le but du personnage ou du masque qui se fonde chez l'enfant : le besoin de plaire plutôt que de s'écouter par peur des conséquences, soit de perdre, soit de ne pas être aimé, soit d'être puni, et le besoin d'être valorisé, ce que nous approfondirons plus loin.

Je tiens ici à donner un avertissement concernant les descriptions à venir. Il est souvent très tentant, après lecture de descriptions de comportements ou d'attitudes, de tenter de les retrouver chez les gens que l'on côtoie. Cependant, j'encourage chaque lecteur et chaque lectrice à mettre l'accent sur la conscience de soi plutôt que sur les autres. Chercher à « catégoriser » les gens de son entourage risque davantage d'apporter des conflits dans ses relations que de soulager les tensions relationnelles. La conscience de ses propres masques, en revanche, peut aider à être plus authentique dans ses relations et favorise ainsi un apprentissage à s'en créer de plus riches, de plus nourrissantes parce que plus libres et plus harmonieuses.

> *« Connais-toi toi-même », comme le disait si bien le philosophe Socrate, est une règle essentielle qui prévaut pour la réussite des relations sans masque.*

Aussi est-il possible que vous vous reconnaissiez dans l'une ou l'autre des descriptions que je ferai, particulièrement les hommes ou les femmes qui ont pris des modèles de virilité. Si cela se produit, tant mieux, car cette lecture vous aura donné l'occasion d'une prise de conscience de plus, à savoir que, lorsque vous portez un masque, vous

vous coupez de vous-même, de votre monde intérieur et de votre entourage. Aborder cette lecture en voulant en connaître davantage sur les autres est bien légitime, mais saisir l'occasion de se connaître soi-même apportera une liberté supplémentaire en permettant de s'affranchir de ses masques.

Par ailleurs, j'apporterai des caractéristiques qui donnent une certaine image des masques. Pour aider à s'identifier à eux, il est important de savoir que **chaque masque est décrit d'une façon stéréotypée. Par exemple, pour certains, paraître dur, c'est froncer les sourcils en serrant les mâchoires...; pour d'autres, ce n'est pas suffisant, c'est plutôt crier fort en frappant sur la table... Il y a donc plusieurs variations à travers le même masque. Au-delà du froncement des sourcils ou de l'augmentation du ton de voix, c'est l'attitude qui est à détecter et non seulement le geste.** Moi par exemple, lorsque je fais le dur, je deviens habituellement silencieux, les traits de mon visage se durcissent et je me retire; par contre, il arrive parfois que je frappe la table de mon poing et que je crie. Pour certains hommes, ce sera autrement plus démonstratif et, pour d'autres, moins apparent. Mais l'important n'est pas uniquement l'expression du durcissement, c'est que chacun prenne conscience du mouvement intérieur de ce durcissement, qui est le signe de la mise en place d'un masque.

Enfin, je suis conscient que mes descriptions peuvent parfois ressembler à des jugements sévères; cependant, vous pouvez être assuré que ce n'est pas le cas. Mon objectif est de **mettre en lumière des mécanismes de défense** pour en favoriser la prise de conscience nécessaire à un changement réel. Si certaines personnes se sentent jugées, je tiens à leur exprimer mes regrets sincères, car ce n'est pas ce que je souhaite, sachant très bien à quel point le fait de se sentir jugé nuit plus à l'avancement qu'il ne le favorise. De plus, comme je le confie et le démontre tout au long de ce livre, la plupart de ces masques ont longtemps été et sont encore parfois, tant pour moi que pour bien d'autres, les refuges inconscients de la sensibilité, de l'émotivité et des insécurités reliées à la grande peur du ridicule et de l'humiliation. Si je les connais si bien, c'est que j'ai d'abord réalisé que j'en portais moi-même. Selon mon entourage, j'arborais à certains moments un masque de dureté qui, pour moi, avait toujours eu un attrait particulier associé à la virilité, et à d'autres moments je prenais un masque de fausse douceur ou de rationalisation. Dans cette démarche de changement, il est important de se rappeler que, si moi comme homme je mets un masque, ou si l'homme en général porte des masques, c'est par peur d'être ridiculisé, humilié et rejeté en pensant répondre à un besoin d'être aimé, valorisé, reconnu, respecté et accepté. **Paradoxalement, cela ne se produira pas, puisque le masque construit un mur affectif entre l'homme et les autres, ce qui l'empêche de recevoir l'appréciation de son entourage**.

La conscientisation et le changement à partir de ses masques est une démarche qui demande beaucoup d'acceptation de soi, de courage et d'humilité. C'est ce qui favorise ce regard sur soi-même et la reconnaissance des masques comme un mécanisme de défense allant à l'encontre des besoins du cœur. Ayant moi-même fait cette démarche et y veillant encore de près, j'ai développé une plus grande acceptation par rapport à ce mécanisme. Aujourd'hui, plutôt que de porter un jugement, je suis plus sensible aux raisons pour lesquelles la personne porte un masque. Cependant, si la personne est agressante ou violente, je suis conscient que je dois protéger mon intégrité et voir à ma sécurité.

> *S'avouer qu'ils portent des masques est souvent difficile pour les hommes, car c'est un geste d'humilité qui va à l'encontre de l'orgueil masculin, mais c'est primordial pour un changement vers le mieux-être et des relations plus humaines et plus satisfaisantes.*

J'ai aussi observé que cette démarche de prise de conscience de nos masques (dans le but de les retirer) débute souvent par un refus de les reconnaître, ce qui peut susciter des commentaires du genre : « Ben voyons donc ! Je ne suis pas comme ça [...] Je n'ai pas ça moi des masques [...] Que veut-il dire par là ? [...] C'est complètement faux, cette histoire de masques, ça ne tient pas debout ! » Autant de réflexions défensives que de difficultés à s'accepter. Cela me rappelle le jour où un animateur de groupe d'hommes m'avait dit en parlant de moi : « C'est pas toujours facile de jouer au dur. » J'avais nié, je ne me voyais pas dans cela. Et c'est assez naturel de ne pas se voir au début, mais au moins il est important d'être ouvert à la constatation pour avoir une chance de s'en libérer. Souvent et pour plusieurs, après cette étape de refus intervient une fausse acceptation, uniquement rationnelle. Je n'y ai pas échappé : « Bien oui, c'est moi; je fais le dur » ou « Je rationalise », sans pour autant que j'aie admis tout le vécu que voilaient ces paroles, c'est-à-dire la culpabilité, la fierté, la peur, le sentiment de ne pas être correct ou le désagrément de ressembler à une personne que je n'aimais pas ou qui déclenchait en moi des sentiments désagréables. Par la suite, j'ai développé une réelle acceptation en accueillant justement tout ce que cela me faisait vivre de réaliser que je pouvais être porteur de ces masques. La difficulté à admettre vient souvent du fait que le masque est le même que celui d'une personne que nous n'avons guère appréciée dans le passé, qui nous a fait souffrir, volontairement ou non, que nous avons peut-être même détestée, voire rejetée, notre père par exemple. Il est important de se rappeler, toutefois, que c'est une démarche qui, faite avec perspicacité et honnêteté, peut mener au cœur de ce que nous sommes réellement. Le masque cache des blessures profondes qui, une fois admises et libérées, peuvent être transformées.

À cause du manque d'acceptation, le masque produit souvent une attitude réactive qui ne reflète pas ce que l'on est réellement; on se dérobe alors aux autres et en partie à soi-même. Ce réflexe inconscient sert à transformer une émotion, une façon d'être ou une attitude que la personne juge inacceptable, dont elle a possiblement honte, en une émotion ou une attitude autre, qu'elle juge plus acceptable et plus susceptible d'être valorisée par l'entourage.

Par exemple, j'avais peur et je me montrais frondeur lorsque je jouais au football, et ce, pour ne pas me sentir humilié. Si l'entraîneur faisait allusion à cette peur, je me montrais encore plus agressif pour la refouler, car, oui, il m'arrivait d'avoir la frousse devant un joueur beaucoup plus gros que moi ou lorsque j'avais mal quelque part. Dans mon conditionnement de vrai homme, il me fallait cacher la peur. C'est la même chose lorsqu'un homme ressent de l'inquiétude et qu'il rationalise pour tenter de se le cacher ou de le cacher aux autres, ou encore lorsqu'il montre de l'agressivité alors qu'il a de la peine. Ce sont toutes des façons souvent inconscientes de se masquer.

Le terme de masque fut développé à partir des études du pédiatre et psychanalyste anglais, Donald W. Winnicott (1896-1971), traitant du « faux self », c'est-à-dire du personnage ou masque, et du « vrai self », c'est-à-dire de la personne. Le masque sert de personnage pour cacher la personne que je suis réellement, et que je n'accepte pas, afin d'éviter le déplaisir ou l'humiliation pour l'homme que je suis vraiment. Comme le dit Mme Portelance « Trop souvent le monde est un théâtre », ennuyeux soit dit en passant, très ennuyeux même et qui est la cause malheureusement de trop de séparations douloureuses. Je poursuis mon propos avec la suite de la définition de Mme Portelance :« […] où se rencontrent des personnages qui présentent aux autres des images fausses d'eux-mêmes. » Oui, une vie masquée, contrairement au théâtre et au cinéma, c'est une vie monotone. La personne se lasse de vivre, s'ennuie d'elle-même et demeure insatisfaite dans sa relation avec les autres, surtout si ces personnes portent elles-mêmes des masques. C'est en pensant être vue à son meilleur, pour se rehausser, qu'elle portera un masque. Par exemple, lorsque l'homme ressent de la peur, il se montre invulnérable et à toute épreuve. Il a de la peine et manifeste de la colère. Il est inquiet et se montre sûr de lui. Il lui est alors impossible de s'écouter réellement, de se respecter et de répondre à ses besoins d'amour, de sécurité, de reconnaissance, etc. Derrière son masque, il se dissimule aux autres, mais aussi à lui-même.

> **L'objectif du masque est de donner à celui qui le porte l'illusion d'être mieux que ce qu'il est vraiment. Car il évalue et juge négativement des parties de ce qu'il est en réalité.**

Il croit ainsi, comme je l'ai dit précédemment, qu'il sera plus aimé, plus respecté et plus reconnu puisque ce qu'il est vraiment a été ridiculisé et humilié dans son passé, particulièrement sa sensibilité et son émotivité. Souvent, chez un homme, porter un masque est un geste d'orgueil pour s'élever contre et au-dessus de ce qu'il juge de lui-même comme émotions et attitudes inacceptables. C'est une réaction de refus, une façon de fuir la honte qu'il ressent face à une partie de lui-même, une façon de ne plus l'éprouver. L'objectif des hommes n'est pas nécessairement de fuir leurs émotions, mais plutôt de fuir le sentiment désagréable d'abaissement et d'humiliation qu'ils éprouvent lorsqu'ils se montrent émotifs ou vulnérables.

> **Porter un masque, c'est en tout premier lieu un geste de manque d'amour de soi et d'acceptation de soi, geste qui trouve son origine dans des expériences de peurs, d'humiliations ridiculisantes et traumatisantes, et qui est entretenu par la crainte de perdre l'amour des parents.**

Comme j'en ai parlé au début de ce livre, c'est particulièrement au cours de l'enfance que nous sommes le plus vulnérables aux masques; c'est à ce moment-là que nous jetons les bases de leur développement. À ce stade particulier de la vie, nous sommes en situation de très grande dépendance. C'est souvent une question de vie ou de mort pour l'enfant que de plaire à ses parents ou d'être accepté par ses éducateurs. Dans un geste spontané, il se tiendra à l'affût de ce qu'il peut ou ne peut dire et faire, mettant en péril sa vie physique ou affective. J'illustrerai cette réalité au deuxième chapitre.

J'aimerais ici prendre un temps pour présenter la différence entre les masques masculins et féminins. On peut constater qu'il y a certaines similitudes entre les hommes en ce qui concerne le choix de leurs masques, car ce choix tient du conditionnement auquel tous les hommes sont exposés dans notre société. Je veux parler des valeurs reconnues, estimées, acceptées et véhiculées dans l'entourage de l'enfant, de l'adolescent et de l'adulte, valeurs qu'on retrouve d'une façon généralisée dans la société et qui sont identifiées au sexe de l'individu, par exemple « Un vrai gars, ça ne pleure pas. » Ce sont des valeurs qui lui seront enseignées à travers les attitudes, les expressions ou le silence du père, car c'est par lui surtout que le jeune garçon forme son identité. Ce sont des valeurs intégrées par un regard ou un silence souvent complice de la mère et qui sont perpétuées par les aînés de façon tranchante : « Nous les avons adoptées, tu les adopteras aussi. » La famille élargie, qu'il s'agisse des grands-parents, des oncles et des tantes, des cousines ou même des amies, est souvent porteuse de ces mêmes valeurs, qui sont ratifiées ensuite dans la société où le jeune grandit. Ces valeurs, je le répète, sont basées, particulièrement pour l'homme, sur la compétition, la performance, l'insensibilité ou le silence et l'agressivité.

Le système du conditionnement est semblable pour la femme, à l'exception que les caractéristiques valorisées sont différentes. Sans être un spécialiste en matière de féminisme, j'ai quand même pu observer et entendre qu'être féminine est souvent identifié à être belle et silencieuse, soumise aux idées de l'homme (père, frères, etc.), être de bonne humeur et souriante, sensible, et même responsable du bien-être et de la bonne humeur des autres, des membres de la famille en particulier. Ce qui risque malheureusement pour la femme de l'éloigner de ses capacités à s'affirmer et à prendre en main ses besoins.

J'énumère ici plusieurs valeurs fortement liées à l'identité masculine, des valeurs qui orientent le choix des masques chez les hommes dans le but souvent inconscient de les « séparer » des enfants, de séparer les « vrais hommes » des hommes tout court. J'ai cueilli ces thèmes d'introjection lors de mon enquête auprès d'une quarantaine d'hommes dans le cadre d'une recherche et lors des ateliers que j'ai animés. Voici donc les valeurs qui soutiennent la virilité des hommes et leur sentiment d'identité :

- L'affirmation; la supériorité en quasi tous les domaines; la force physique et morale; l'infaillibilité; l'endurance physique et morale; l'insensibilité physique et morale à la dureté et à la violence; la supériorité rationnelle et physique.

- Un vrai homme doit être grand et costaud; ne jamais avoir de doute; posséder une grande capacité à faire des choix justes; être toujours prêt sexuellement à la génitalité sans avoir besoin de préliminaires.

- Il ne doit pas exprimer ses émotions de vulnérabilité telles que la peur et la peine; il se doit de réussir socialement et financièrement autant, sinon plus, que sa conjointe, et subvenir majoritairement aux besoins de la famille.

- Il doit posséder une voix forte, symbole de sa puissance, et faire preuve de leadership et d'autorité autant sur le plan familial que sur le plan professionnel. Sur le plan matériel, il est censé être débrouillard et pragmatique.

- Un vrai homme n'est pas censé être à l'aise et compétent en ce qui concerne l'éducation des enfants et doit donner son affection en gardant une certaine distance. Il n'est pas censé avoir peur; il se doit d'être indépendant sur le plan affectif et de faire fi des besoins qui risquent de le rendre vulnérable face aux autres.

Je ne dis pas que chaque homme cherche à correspondre à tous ces critères pour prouver sa virilité, quoique ce soit possible pour certains d'essayer de se donner ce mandat. Cependant, je remarque que tous les hommes sont motivés et influencés dans leur façon d'être par plusieurs de ces valeurs, en particulier celles qui ont été marquantes au cours de leur éducation et qui les éloignent de ce qu'ils sont vraiment. Je l'ai déjà dit, ces paroles ne sont pas inscrites dans le conscient d'une façon rationnelle, mais révèlent un malaise profond de honte ou un sentiment d'humiliation qui apparaît chez l'homme lorsqu'il ne correspond pas à ces lois.

À cet égard, je me rappelle Patrick, qui me disait se sentir très mal de ne pouvoir payer un voyage à sa famille. Il se sentait diminué dans sa nature d'homme de ne pas correspondre à la valeur, inconsciente chez lui, de subvenir majoritairement aux besoins financiers de sa famille.

Avant d'aller plus loin, je vous propose de reprendre ici la liste des caractéristiques mentionnées et de vérifier celles qui semblent être une préoccupation pour vous et qui peuvent intervenir consciemment ou inconsciemment dans votre façon d'être avec les autres, de là même à porter un masque. Ajoutez-y un exemple de votre vie courante qui démontre cette influence qui vous amène à ne pas vous montrer tel que vous êtes, à être plus préoccupé de correspondre extérieurement à cette caractéristique, à l'image, que de démontrer vos limites, vos besoins ou vos émotions.

Je vous encourage à étaler cette réflexion sur plusieurs jours, pour vous assurer d'une plus grande profondeur. Pour faciliter la prise de conscience, je décris un ou des exemples de l'expression quotidienne pour chaque caractéristique de la virilité.

- **L'affirmation**   (Par exemple, vous pouvez, pour démontrer que vous êtes un homme qui possède cette qualité, vous valoriser face aux autres en racontant, et même d'une façon répétitive, des événements au cours desquels vous vous êtes fortement affirmé. Vous pouvez aussi vous quereller et vous lancer dans de gros débats avec collègues, amis, famille, cela au lieu de communiquer vos sentiments réels de peur, d'insécurité, de culpabilité, ou vos blessures. Tout cela en ne discernant pas l'affirmation défensive de l'expression authentique du vécu.)

  Est-ce une caractéristique à laquelle vous tentez de correspondre au détriment, à certains moments, de votre réalité intérieure ? Apportez un exemple personnel et dites pourquoi vous réagissez ainsi, c'est-à-dire quelle peur vous habite à ce moment-là.

  _____

  _____

  _____

  _____

- **Être supérieur en quasi tous les domaines**   (Par exemple, cela peut se présenter comme une difficulté à accepter qu'un autre soit plus fort, plus rapide, plus vif, plus apprécié ou plus séduisant, ou qu'il réussisse mieux en affaires ou académiquement, ou encore au cours d'une épreuve quelconque, ce qui vous entraîne soit dans une compétition malsaine où le but n'est plus de vous dépasser vous-même dans vos capacités, mais de dépasser l'autre en outrepassant vos limites et en vous amenant même à haïr. Votre malaise devant le fait qu'un autre puisse être meilleur est tel que vous êtes porté à déserter, à fuir ces situations ou ces gens, et ainsi à vous priver. Ce fut le cas de plusieurs sportifs, qui ont cessé de pratiquer leur sport favori en voyant qu'ils n'étaient plus les meilleurs ou dans les meilleurs.)

Est-ce une caractéristique à laquelle vous tentez de correspondre au détriment, à certains moments, de votre réalité intérieure ? Apportez un exemple personnel et dites pourquoi vous réagissez ainsi, c'est-à-dire quelle peur vous habite à ce moment-là.

_____

_____

_____

_____

- **Être fort physiquement et moralement**   (Par exemple, cela peut se démontrer par de la compétition malsaine avec les autres, ce qui risque de briser le plaisir des activités sociales, de dégénérer en conflit ou en blessure, même en violence. Sur le plan moral, cela peut se vivre par le fait de s'insensibiliser à ses émotions, et en même temps aux autres, ce qui crée la dureté et l'isolement.)

Est-ce une caractéristique à laquelle vous tentez de correspondre au détriment, à certains moments, de votre réalité intérieure ? Apportez un exemple personnel et dites pourquoi vous réagissez ainsi, c'est-à-dire quelle peur vous habite à ce moment-là.

_____

_____

_____

_____

- **Être infaillible** (Par exemple, cela peut se présenter par une difficulté à reconnaître ses erreurs, par une argumentation telle que l'on ne puisse être assez ouvert pour apprendre des autres, et dégénérer en interminables conflits et guerres de pouvoir à savoir ce qui est correct ou plus adéquat.)

  Est-ce une caractéristique à laquelle vous tentez de correspondre au détriment, à certains moments, de votre réalité intérieure ? Apportez un exemple personnel et dites pourquoi vous réagissez ainsi, c'est-à-dire quelle peur vous habite à ce moment-là.

  _____

  _____

  _____

  _____

- **Avoir une grande endurance physique et morale** (Par exemple, cela peut être représenté par le dépassement de nos limites en prenant des surcharges de poids ou en prenant des risques lors d'un effort physique, ou encore en faisant comme si des commentaires blessants ne nous atteignaient pas.)

  Est-ce une caractéristique à laquelle vous tentez de correspondre au détriment, à certains moments, de votre réalité intérieure ? Apportez un exemple personnel et dites pourquoi vous réagissez ainsi, c'est-à-dire quelle peur vous habite à ce moment-là.

  _____

  _____

  _____

- **Être insensible physiquement et moralement à la dureté et à la violence** (Cela peut, par exemple, vous amener à faire comme si la violence des mots ou des coups ne vous faisait pas mal, à feindre l'insensibilité lorsqu'une personne vous dit une parole blessante. Ce qui peut créer aussi de la dureté et entraîner à son tour de la violence envers les autres ou envers soi-même.)

Est-ce une caractéristique à laquelle vous tentez de correspondre au détriment, à certains moments, de votre réalité intérieure ? Apportez un exemple personnel et dites pourquoi vous réagissez ainsi, c'est-à-dire quelle peur vous habite à ce moment-là.

_____

_____

_____

_____

- **Être supérieur sur les plans rationnel et physique** (Par exemple, cela peut vous amener à valoriser par la comparaison vos qualités physiques ou rationnelles, et ce, dans une forme plus ou moins subtile de compétition qui abaisse et blesse, qui crée une forme de hiérarchie, plutôt que de reconnaître les différences.)

Est-ce une caractéristique à laquelle vous tentez de correspondre au détriment, à certains moments, de votre réalité intérieure ? Apportez un exemple personnel et dites pourquoi vous réagissez ainsi, c'est-à-dire quelle peur vous habite à ce moment-là (peur de ne pas être vu à la hauteur, de vous sentir humilié, inférieur, de ne pas être un vrai gars, de ne pas être aimé, etc.)

_____

_____

_____

_____

- **Être grand et costaud** (Par exemple, cela peut se présenter par des attitudes telles que de se promener en bombant le torse, en se durcissant les muscles, en valorisant sa grandeur, en dévalorisant les plus petits et en se dévalorisant face aux plus grands. Cela entretient encore une fois cette hiérarchie illusoire des « vrais hommes et des moins vrais », qui est source de nombreuses blessures humaines.)

  Est-ce une caractéristique à laquelle vous tentez de correspondre au détriment, à certains moments, de votre réalité intérieure ? Apportez un exemple personnel et dites pourquoi vous réagissez ainsi, c'est-à-dire quelle peur vous habite à ce moment-là.

_____

_____

_____

_____

- **Ne pas avoir de doute** (Cela peut, par exemple, se présenter par le fait de ne pas démontrer vos inquiétudes, ne pas demander de l'aide, porter un masque d'assurance, ne pas prendre les conseils. Ce qui entretient l'orgueil et la solitude.)

  Est-ce une caractéristique à laquelle vous tentez de correspondre au détriment, à certains moments, de votre réalité intérieure ? Apportez un exemple personnel et dites pourquoi vous réagissez ainsi, c'est-à-dire quelle peur vous habite à ce moment-là.

_____

_____

_____

_____

- **Démontrer une grande capacité à faire des choix justes** (Cela peut se présenter comme suit : ne pas avouer que vous vous êtes trompé, vous vanter de vos bons coups exagérément, prendre le leadership d'un groupe ou d'un événement sans en avoir réellement les compétences ou sans y être vraiment invité.)

Est-ce une caractéristique à laquelle vous tentez de correspondre au détriment, à certains moments, de votre réalité intérieure ? Apportez un exemple personnel et dites pourquoi vous réagissez ainsi, c'est-à-dire quelle peur vous habite à ce moment-là.

_____

_____

_____

_____

- **Être toujours prêt sexuellement à la génitalité sans avoir besoin de préliminaires** (Cela peut résulter en un manque de communication en ce qui a trait à la sexualité et faire dégénérer les relations sexuelles de telle sorte qu'elles soient de plus en plus insatisfaisantes. Cela peut amener l'homme à ne pas montrer de douceur et de tendresse, ou créer chez lui la formation d'un imaginaire sexuel rempli de fantasmes pour rester toujours prêt (en érection à tout moment). Cela peut aussi l'amener à rechercher la femme qui le maintiendra continuellement en désir, en érection, et ce, pour ne pas vivre de panne et ne pas avoir le sentiment désagréable de ne pas être un vrai mâle. Il risque ainsi de passer à côté de la relation véritable, la relation amoureuse plus réelle. S'il y a un manque de désir, peut-être faut-il chercher la cause dans la relation elle-même.)

Est-ce une caractéristique à laquelle vous tentez de correspondre au détriment, à certains moments, de votre réalité intérieure ? Apportez un exemple personnel et dites pourquoi vous réagissez ainsi, c'est-à-dire quelle peur vous habite à ce moment-là.

_____

_____

_____

_____

- **Ne pas exprimer ses émotions de vulnérabilité telles que la peur et la peine**   (Cela peut se présenter par des agressions verbales diverses plutôt que par l'expression de ses peines, peurs et blessures.)

Est-ce une caractéristique à laquelle vous tentez de correspondre au détriment, à certains moments, de votre réalité intérieure ? Apportez un exemple personnel et dites pourquoi vous réagissez ainsi, c'est-à-dire quelle peur vous habite à ce moment-là.

_____

_____

_____

_____

- **Réussir à tout prix socialement et financièrement autant, sinon plus, que sa conjointe et subvenir majoritairement aux besoins de la famille** (Cela peut se vivre chez l'homme par une autodévalorisation, une tendance à dénigrer la femme qui réussit ou à ne pas respecter sa différence professionnelle.)

  Est-ce une caractérist ique à laquelle vous tentez de correspondre au détriment, à certains moments, de votre réalité intérieure ? Apportez un exemple personnel et dites pourquoi vous réagissez ainsi, c'est-à-dire quelle peur vous habite à ce moment-là.

  _____

  _____

  _____

  _____

- **Posséder une voix forte, symbole de puissance** (Changer le ton de sa voix.)

  Est-ce une caractéristique à laquelle vous tentez de correspondre au détriment, à certains moments, de votre réalité intérieure ? Apportez un exemple personnel et dites pourquoi vous réagissez ainsi, c'est-à-dire quelle peur vous habite à ce moment-là.

  _____

  _____

  _____

  _____

- **Faire preuve de leadership et d'autorité autant sur le plan familial que professionnel** (Cela peut se vivre, par exemple, par une tendance à vouloir mener, contrôler d'une faço n rigide en étant fermé et insensible aux autres, et ce, pour se valoriser et non seulement pour aider.)

  Est-ce une caractéristique à laquelle vous tentez de correspondre au détriment, à certains moments, de votre réalité intérieure ? Apportez un exemple personnel et dites pourquoi vous réagissez ainsi, c'est-à-dire quelle peur vous habite à ce moment-là.

  _____

  _____

  _____

  _____

- **Sur le plan matériel, être débrouillard et pragmatique, et connaître naturellement la mécanique, les voitures; être capable de réparer ou de rénover la maison** (Cela peut se présenter d'une façon à forcer notre intérêt pour des champs d'action qui ne nous attirent pas et nous amener à donner de fausses informations, laissant croire par là que nous avons les compétences requises pour effectuer le travail.)

  Est-ce une caractéristique à laquelle vous tentez de correspondre au détriment, à certains moments, de votre réalité intérieure ? Apportez un exemple personnel et dites pourquoi vous réagissez ainsi, c'est-à-dire quelle peur vous habite à ce moment-là.

  _____

  _____

  _____

  _____

- **Se sentir mal à l'aise et incompétent en ce qui concerne l'éducation des enfants et donner son affection en gardant une certaine distance**   (Cela peut se vivre en dénigrant le fait de s'occuper des bébés, de porter un intérêt à l'éducation et à la santé des enfants, et ce, pour ne pas être vu comme un homme marginal ou féminisé. Plusieurs hommes ressentent souvent une fierté à dire que les enfants, particulièrement en bas âge, c'est l'affaire des femmes. Ils se privent ainsi de moments très riches qui pourraient être la base d'une belle et longue relation.)

  Est-ce une caractéristique à laquelle vous tentez de correspondre au détriment, à certains moments, de votre élan ou besoin intérieur ? Apportez un exemple personnel et dites pourquoi vous réagissez ainsi, c'est-à-dire quelle peur vous habite à ce moment-là.

  _____

  _____

  _____

  _____

- **Ne jamais avoir peur**   (Cela peut se traduire par une difficulté, d'une part, à exprimer nos peurs et même à les ressentir et, d'autre part, à respecter nos limites en lien avec elles et à en tenir compte, par exemple en niant la peur lorsqu'une activité à risque nous est proposée.)

  Est-ce une caractéristique à laquelle vous tentez de correspondre au détriment, à certains moments, de votre réalité intérieure ? Apportez un exemple personnel et dites pourquoi vous réagissez ainsi, c'est-à-dire quelle peur vous habite à ce moment-là.

_____

_____

_____

_____

- **Être indépendant sur le plan affectif et faire fi des besoins qui risquent de rendre vulnérable**   (Cela peut se présenter comme suit : avoir de la difficulté à reconnaître ses besoins face aux autres, à les exprimer et à faire des demandes claires telles que « J'aimerais que tu m'écoutes, que tu m'aides, que tu me serres dans tes bras, que tu me dises que j'ai bien travaillé, etc. » En agissant ainsi, la personne risque de se priver de très beaux moments de partage intimes.)

Est-ce une caractéristique à laquelle vous tentez de correspondre au détriment, à certains moments, de votre réalité intérieure ? Apportez un exemple personnel et dites pourquoi vous réagissez ainsi, c'est-à-dire quelle peur vous habite à ce moment-là.

_____

_____

_____

_____

Amorçons maintenant la description des masques. Je vais d'abord les énumérer, et ce, à partir des trois catégories que j'ai créées. Cette classification tient compte de l'interaction entre l'agressivité chez l'individu et son sentiment de culpabilité. **Il s'agit d'un point très important** à saisir car il oriente toutes les attitudes masquées de l'homme.

> *Moins l'homme ressent la culpabilité, plus il se permet d'être agressif, ce qui oriente le choix de son masque, parce qu'être un « vrai homme » est associé à l'affirmation, à l'insensibilité et à l'agressivité.*

J'ai observé que c'est le taux de culpabilité ressenti par la personne qui fait qu'elle correspondra ou non aux stéréotypes masculins. Lorsque je parle de culpabilité, j'aimerais préciser il s'agit d'un sentiment des plus douloureux, des plus horribles, sentiment qui déclenche l'autopunition et qui entrave le droit d'exister. La personne peut avoir envie de mourir et, dans plusieurs cas, peut tenter de se suicider. J'ai souvent vu à quel point le mot « culpabilité » pouvait déclencher des malaises, de la défensive, des conflits. Combien de fois ai-je été témoin de ces interminables conflits qui se terminent en guerres et en déchirements, dans le but inconscient de cacher la culpabilité : « Ce n'est pas de ma faute, c'est la tienne. » Il devient donc légitime et compréhensible de vouloir éviter à tout prix cette souffrance. L'homme peut se sentir coupable de s'être affirmé, d'avoir été agressif, d'avoir eu du plaisir, de s'être donné la préférence, d'avoir désiré et pris, bref une culpabilité déclenchée par tout geste d'affirmation revêtant quelque forme d'agressivité que ce soit. Malgré la terreur qu'il éveille, ce sentiment doit être éprouvé et géré, pour être dépassé et permettre à la personne de retrouver son identité réelle.

À partir de ce raisonnement ressortent deux catégories opposées de masques : une qui inclut les masques avec

peu ou pas d'expression d'agressivité, l'autre qui est basée sur une expression démesurée de l'agressivité. Il y a
aussi une catégorie médiane, laquelle est associée au mépris complet de toute émotion reliée à l'infériorité, à l'immaturité, au fait de croire qu'être émotif c'est avoir un problème. Dans cette catégorie, l'agressivité est jugée
acceptable, car elle est liée à l'affirmation et à la supériorité; elle est cependant considérée comme une perte de
contrôle à laquelle il faut remédier.

Dans le but d'éviter toute méprise, j'aimerais souligner
un dernier point. Le masque n'est pas le reflet de la personnalité, c'est-à-dire qu'il ne représente pas ce qu'est vraiment la personne. Si c'était le cas, cela signifierait que les
comportements ou attitudes seraient statiques chez
l'homme. Le masque est au contraire un mécanisme
d'autodéfense adopté dans le but d'éviter de souffrir de
ses comportements, qui d'ailleurs peuvent se transformer très rapidement. C'est pourquoi une personne peut
utiliser tour à tour plusieurs masques, selon la situation,
son entourage et ses peurs. La personne peut alternative-
ment présenter une façade de douceur pour cacher sa
colère et une façade d'agressivité pour cacher sa peine;
elle peut aussi présenter une façade de contrôle pour cacher son émotivité. Cependant, comme nous le verrons
au long de ce livre, chaque homme, dépendamment de
son passé, aura une préférence pour les masques avec
lesquels il aura plus tendance à cacher ses vraies émotions. C'est pourquoi il n'est pas recommandé de s'identifier à un seul masque pour bien se connaître; comme
nous avons vu, le masque n'est pas le reflet de la personnalité de l'individu, de son identité. C'est une question
d'ouverture; il est important de ne pas perdre de vue
qu'un masque est un mécanisme de défense ponctuel
déclenché par un événement, une parole ou un souvenir

souvent douloureux, et qui peut se transformer en un clin d'œil. Voici donc les catégories de masques.

1. **Les masques d'anti-virilité** (sans agressivité car très en contact avec la culpabilité)

    1.1   Le masque du doux

    1.2   Le masque de la victime

    1.3   Le masque du charmeur

    1.4   Le masque du séducteur

    1.5   Le masque de l'insaisissable clown

2. **Les masques d'anti-émotivité** (sans émotions car liés à un jugement d'immaturité)

    2.1   Le masque du superficiel

    2.2   Le masque du mystérieux sage

    2.3   Le masque du supérieur

    2.4   Le masque du rationnel

3. **Les masques de dureté** (beaucoup d'agressivité car peu en contact avec la culpabilité)

    3.1   Le masque de l'infaillible

    3.2   Le masque de l'insensible

    3.3   Le masque du dur

J'ai nommé ces masques parmi une multitude de dénominations possibles. Ils peuvent cependant, selon la personne, avoir plusieurs variantes, par exemple, le héros, le cool, le missionnaire, le fils à maman, le bon gars, l'homme rose, le spirituel décollé, etc. Autant de possibilités de masques, autant d'attitudes défensives.

1. LES MASQUES D'ANTI-VIRILITÉ

Les hommes qui adoptent ce type de masque expriment peu d'agressivité, soit qu'ils ne sont plus en contact avec cette émotion en eux, soit qu'ils sont aux prises avec un déchirement et une insatisfaction régulière parce qu'ils ne l'ont pas laissée vivre naturellement. Certains en ont perdu la conscience totale, ayant tout fait pour ne plus la ressentir. Ils se sont coupés d'elle à la suite d'expériences négatives culpabilisantes et même menaçantes pour leur vie psychique ou physique. Cette négation ou cette retenue s'explique par la présence d'un sentiment de culpabilité récurrent, très poussé et facilement déclenché lorsqu'ils s'affirment. Les masques de cette classe sont le doux, la victime, le charmeur, le séducteur et l'insaisissable clown.

Dans la société occidentale, l'influence sociale des masques d'anti-virilité prend son origine en France, particulièrement dans le milieu de l'aristocratie. Cela ne veut toutefois pas dire qu'il n'y avait pas chez les hommes de masques de douceur avant cette période, mais celle-ci marque le début d'un mouvement social qui a influencé plusieurs hommes à cacher leur virilité. Selon l'auteure et anthropologue Élisabeth Badinter, « Dès le XVIIe siècle, les Anglaises raffinées (les précieuses) rêvaient d'un homme plus féminin : doux, poli et faible[2]. » C'était l'émergence du féminisme et, par voie de conséquence, de la culpabilité d'être un mâle. Ce mouvement d'affirmation des femmes est une réaction à la brutalité, à la violence, à la grossièreté et à la domination des hommes. Le phénomène, au départ, n'était présent que dans les milieux aisés où la femme avait le loisir et le temps de voir à ses besoins, à ses

---

2. BADINTER, É. *XY de l'identité masculine*, Paris, Éditions Odile Jacob, 1992, p. 217.

insatisfactions et à ses plaisirs, puisqu'elle avait des servantes ou des majordomes à son service qui s'occupaient des enfants et assumaient les tâches domestiques. On retrouve ce même mouvement en Angleterre. Les femmes veulent liberté, égalité, sécurité et respect. Ce mouvement préconise un changement des mœurs et des coutumes de l'homme envers la femme. Une minorité d'hommes ont alors commencé à changer, ce qui a eu une influence importante dans la société. Certains ont féminisé leur apparence, se sont raffinés tout en se soumettant à la femme : perruque longue, plumes extravagantes, rabats, mouches, parfums, rouge. D'autres ont camouflé certaines de leurs attitudes pour paraître distingués, civilisés et courtois : « Ils s'abstenaient de montrer leur jalousie et de jouer les tyrans domestiques. Insensiblement, les valeurs féminines progresseront dans la bonne société au point de paraître dominantes au siècle suivant[3]. »

Ce changement se basait sur la dénonciation des attitudes dominantes et violentes des hommes, attitudes qui furent remises en question par la dénonciation, la condamnation morale et la culpabilisation. Parallèlement, la condition de vie soumise et médiocre des femmes fut mise en lumière, ce qui corroborait la nécessité du changement exigé par les femmes. La première institution touchée fut le mariage; c'est alors que le féminisme commença sérieusement à être considéré comme un danger pour la société, et même pour la race. Néanmoins, l'idée progressait sans arrêt, autant chez les femmes que chez plusieurs hommes, et ce, malgré la résistance et la condamnation continuelles des gardiens du patriarcat, soit les députés, l'Église et les

---

3. BADINTER, É. *XY de l'identité masculine*, Paris, Éditions Odile Jacob, 1992, p. 217.

juges. Cette crise des rôles sociaux connut un ralentisse-
ment lors de la Révolution française de 1789 lorsque la Con-
vention (chambre des représentants du peuple après la Révolution) refusa unanimement d'accorder aux femmes
leurs droits de citoyennes. Ce refus connut son renforcement en raison du Code Napoléon, qui plaçait la femme
dans un rôle de mineure, de seconde, de subalterne n'ayant
aucun droit, dans une position de soumission bien définie
face à l'homme. Cette position dura d'ailleurs au Québec
jusqu'en 1962, lorsque Madame Kirkland Casgrain réussit
non sans peine à la faire abolir. Jusque-là, par exemple,
une femme n'avait pas le droit de faire soigner son enfant
sans la signature de son mari. Malgré le régime napoléo-
nien, le vent du changement ne s'était pas éteint. Il reprit
de plus belle au tournant des XIXe et XXe siècles en s'éten-
dant jusque dans les pays scandinaves, en Autriche et en
Amérique, s'accentuant sans arrêt à travers les deux Grandes Guerres, qui marquèrent le début de l'ère industrielle
et de l'accession de la femme au marché du travail. Le
but légitime recherché fut l'égalité et la liberté de la
femme; en même temps, à travers cette démarche naquit
la culpabilité d'être un homme par la perte pour certains
du discernement entre condamner la nature de l'homme
et non seulement l'acte.

C'est ainsi qu'avec le féminisme vint le danger, pour
plusieurs, de « jeter le bébé en même temps que l'eau du
bain ». Il est important de retenir ici qu'un des moyens
pour le féminisme et pour la femme de trouver plus de
liberté et d'égalité fut de dénoncer et de condamner les
actions dominatrices et violentes des hommes; à travers
cela, un sentiment de culpabilisation se généralisa chez les
hommes. Pour se défendre de ce sentiment, plusieurs d'entre eux ont endossé les valeurs féminines tout en rejetant
les aspects masculins. C'est à ce moment que le bébé a été

jeté et que, de part et d'autre, le discernement s'est perdu. On condamna non seulement les actes de violence et d'abus, mais aussi la nature même d'être un homme, en raison du refoulement et de la négation, ce qui tua chez les hommes une part importante de leur caractère proprement masculin et donna naissance aux masques d'anti-virilité. L'objectif à atteindre pour ce type d'hommes est d'enclencher un processus de récupération de leur identité masculine sans pour autant rejeter leur polarité féminine, c'est-à-dire de s'assumer comme hommes par leur agressivité et leur affirmation, par leur désir sexuel de la femme, tout en évitant de devenir violents et dominateurs. Peut-être croirez-vous que j'exagère. Voyez plutôt un fait qui m'est arrivé.

CAS VÉCU

LES HOMMES SONT RESPONSABLES DE TOUS LES MAUX DE L'HUMANITÉ

Cela se passa lors d'une discussion que j'eus un jour avec une féministe d'avant-garde que je considère beaucoup. Je lui exposai les idées de mon livre et lui montrai mes écrits. Elle trouva sa lecture très intéressante, m'assura qu'elle appréciait beaucoup l'homme que j'étais et précisa l'importance du travail que je faisais. Elle jugea cependant utile de me prévenir : « Moi, Yvan, je considère les hommes comme responsables de tous les malheurs mondiaux et je ne veux rien savoir de cette race. » Ce ne sont plus uniquement ici les actes de violence, d'injustice et de barbarie qui sont condamnés, mais l'homme dans sa globalité. Ma confiance en elle me rendit muet sur le moment et j'acquiesçai à cette déclaration en me disant : « C'est correct, c'est son opinion. » Par cette rationalisation, je refoulais mon malaise. Cependant, rendu chez moi, j'étais hanté par ces paroles. La loi du refoulement, qui revient toujours tôt ou tard, faisait son œuvre. Je me sentais démoli et malheureux. C'est alors que je m'arrêtai pour écouter ce que je vivais. J'avais beaucoup de peine, et je suis encore ému en écrivant cela. Je me sentais coupable d'être un homme. Je revoyais les scènes souffrantes de mon enfance défiler devant moi : mon père agissant durement envers ma mère, ma mère pleurant devant les difficultés de son couple, et moi essayant de la consoler; mon père punissant mon frère, mon père assis, dominateur, à la table, et un silence de crainte planant dans la cuisine. Je revoyais le comportement parfois blessant dans ma famille des gars envers les filles... J'avais mal d'être un homme. J'avais très peur, dans mon sentiment de culpabilité, de recommencer à étouffer l'homme en moi (l'agressivité, l'affirmation, la colère et le désir sexuel) comme je l'avais fait pendant plusieurs années, et de me sentir ainsi mourir à petit feu... Je suis retourné voir cette amie et lui exprimai le mal que cette parole m'avait fait et le passé douloureux dans lequel j'avais été replongé. Je lui racontai par la suite le cheminement difficile que j'avais dû faire pour récupérer mon identité et passer d'un « homme rose » à un homme qui s'assume dans tout ce qu'il est. J'ajoutai que, lorsque je l'entendais généraliser négativement sur les hommes, je ressentais cette prison qu'avaient constituée pour moi pendant plus de dix ans la culpabilité, un masque de fausse douceur et, par la suite, la négation de toute une partie importante de moi. En tant qu'homme, je ne veux pas faire de mal aux autres; je ne veux pas emprisonner ma conjointe et ma fille comme plusieurs hommes et femmes le font; je condamne les actes de barbarie, conséquences des valeurs machistes. Mais il m'arrive de faire des choses que dont je ne suis pas fier, comme certaines femmes d'ailleurs, et je demeure prêt à me remettre en question, non à être mis dans un panier avec tous les criminels et condamné à être de la même race qu'eux. C'est trop pénible de porter l'odieux de tous ces crimes; ça me donne le goût de mourir. Mon interlocutrice fut mal à l'aise à son tour de réaliser ce qu'elle avait dit. Elle m'écouta avec une grande ouverture d'esprit, me dit que j'avais raison et qu'elle avait manqué de discernement en mettant tous les hommes à la même enseigne. Ce sont effectivement les attitudes machistes qu'elle condamne et non les hommes eux-mêmes. Ce fut par la suite une belle rencontre entre une féministe et un « masculiniste », une relation d'ouverture et de confiance, chacun ayant le droit d'assumer son être propre tout en respectant la différence de l'autre. J'avais récupéré le plaisir et la liberté d'être un homme, ce que je risque de perdre lorsque je me sens coupable. ■

Voici le premier des masques d'anti-virilité, le masque du doux, que revêt particulièrement l'homme aux prises avec cette dynamique de culpabilité.

1.1 Le masque du doux

Le masque du gars doux ou de l'homme rose est probablement celui que porte l'homme qui, enfant, se faisait culpabiliser lorsqu'il démontrait de l'agressivité : « Tu es méchant, tu as fait mal à ta sœur, à ta mère, au petit Jésus, tu iras en enfer. » Ou bien : « Tu es bien pareil comme ton père », ce qui sous-entend par la comparaison négative qu'il n'était pas correct, qu'il était méchant... C'est aussi peut-être l'enfant qui a entendu sa mère se plaindre des mauvais traitements agressifs ou violents que lui prodiguait son mari. C'est possiblement l'enfant qui a beaucoup souffert de l'agressivité défensive des hommes, soit en étant lui-même victime, soit en étant témoin visuel ou auditif de cette violence contre un frère, une sœur ou sa mère. Cet enfant condamnait alors l'agressivité de façon globale, sans discernement, se fiant sur des jugements extérieurs par rapport au mal qu'elle entraîne. Pour fuir la culpabilité et être un bon garçon, pour éviter de devenir un « méchant » homme comme son père, il est devenu l'homme rose. Son masque de fausse douceur devint alors une réaction défensive contre sa propre agressivité. Pour ne pas souffrir de culpabilité, pour être aimé et accepté, de peur d'être jugé et condamné, il survalorisait les comportements pacifistes au détriment de sa propre agressivité qui, refoulée, est devenue une bête à contrôler plutôt qu'une complice à écouter et à entendre.

> **Le masque de l'homme doux se caractérise particulièrement par l'absence totale d'agressivité. L'homme s'en est coupé, ne la ressent plus sinon à de rares moments. Ce ressenti demeure fragile à cause de la culpabilité qui y est liée.**

« Non ! Non ! Je ne suis pas choqué », pourra-t-il répondre en s'assurant de rester calme et doux à la suite d'une contrariété. Il justifiera sans fin le moindre geste brusque qu'il aura posé. C'est un homme qui se sent facilement coupable de la souffrance des autres, particulièrement de celle des femmes, et encore plus après avoir posé un geste ou dit une parole déclencheurs, regrettables ou non. Il affiche une apparence souvent très peu virile, mettant l'accent sur la douceur de ses traits, de sa voix, de son habillement, pour démontrer qu'il n'est pas menaçant, qu'il est « correct », lui, comparé aux autres hommes, à son père en particulier dans son esprit. Il est souvent très proche de la cause féministe et s'entoure généralement de femmes, car il a peur des hommes, peur d'être dominé, ridiculisé ou violenté par eux car coupé de la protection que génère l'agressivité. Il cache ses peurs par la pensée que les hommes ne sont pas « parlables » et qu'ils ne présentent aucun intérêt pour lui. En fait, cette rationalité cache une difficulté à se protéger et à se défendre de la violence des autres hommes.

J'entends souvent aussi chez l'homme qui porte le masque de douceur l'aveu d'une certaine difficulté à ressentir son désir sexuel ou à le vivre dans une relation. Cela peut s'expliquer premièrement par le fait que l'agressivité est une pulsion provenant du monde irrationnel et que, si l'on s'ampute d'elle, le psychisme ne choisissant pas, on rejette à ce moment le monde complet de nos pulsions, la sexualité étant un élément avant tout pulsionnel, très influencé par la dimension relationnelle. Par peur de son agressivité, l'homme au masque de douceur perd possiblement contact, dans une relation, avec le monde de ses pulsions sexuelles. En deuxième lieu, ce que j'ai pu souvent comprendre, c'est que, même à travers ses activités sexuelles avec sa partenaire, il voudra démontrer qu'il est un gars correct. Il se castre lui-même de son potentiel de plaisir en se centrant plus sur l'autre que sur lui. Il ne s'agit pas de ne plus tenir compte de l'autre, mais la mise en action de l'attrait sexuel nécessite d'abord une capacité à rester en contact avec son désir et son plaisir pour maintenir la relation vivante. Ce qui est impossible lorsque la culpabilité castre le mâle. Cette attitude de négation de sa partie mâle et la castration de son désir, qui annihilent son potentiel de plaisir, risquent à la longue de créer chez lui un doute quant à son orientation sexuelle. Il peut également ressentir une attirance homosexuelle par besoin de contact entre hommes dans le but de retrouver l'homme perdu en lui, comme en parle Guy Corneau dans son livre *Père manquant, fils manqué*. C'est un moyen créateur de survie psychique servant à retrouver son identité perdue et aussi un besoin de protection. Car, en se coupant de son agressivité, il se dissocie de sa capacité à s'affirmer et à se défendre, ce qui peut l'amener à rechercher la sécurité en s'associant à d'autres hommes. On peut faire le rapprochement avec les femmes qui recherchent un homme grand et fort afin de se sentir protégées. S'il veut retrouver son identité, l'homme devra récupérer les émotions liées à ses premiers modèles d'hommes, telles que l'agressivité et le désir sexuel, émotions qui sont écrasées sous la culpabilité.

Même s'il est un homme, sa grande peur est de ressentir justement la culpabilité déclenchée par le fait d'être considéré comme faisant partie des hommes « méchants », responsables de tous les malheurs familiaux, et par extension mondiaux, comme en avait témoigné l'expérience avec mon amie féministe. L'homme au masque de douceur a probablement grandi en symbiose avec sa mère, complice d'elle par une condamnation du père, et par le fait même du principe masculin. C'est un ex-enfant qui, selon l'expression de Jacques Salomé, une fois rendu adulte, a de la difficulté à s'affirmer. En ne voulant pas être comme son père, il s'ampute de son identité d'homme, se castre de sa force de caractère et de son leadership naturel, ce qui peut l'entretenir dans des relations où il se laisse dominer et abuser. Il ne fait plus la différence entre l'agressivité saine, responsable de la satisfaction des besoins, et l'agressivité défensive, source de souffrances. C'est ce qui fait que, lorsqu'il s'affirme le moindrement, et encore s'il le fait en exprimant de l'agressivité, il est envahi par cette culpabilité destructrice qui peut souvent l'amener vers une pulsion de mort. Il n'est donc pas ici question de vouloir prouver sa virilité; au contraire, c'est une réaction défensive à vouloir démontrer qu'il n'est pas un homme, qu'il ne fait pas partie d'eux.

Quelle est la conséquence pour cet homme de la négation de sa partie masculine par le refoulement ? Bien sûr, il est doux, il est ouvert à la communication, il ne semble pas être une menace pour qui que ce soit, sauf pour lui-même étant donné sa difficulté à répondre à ses besoins par manque d'affirmation. Son agressivité risque de se retourner contre lui et d'engendrer l'autopunition, la passivité, la difficulté à répondre à ses besoins ou le suicide.

> *Il y a alors pour l'homme au masque de douceur le danger de faire abuser de lui, de s'entretenir dans un manque de confiance et d'estime de soi, dans une difficulté à répondre à ses besoins affectifs et matériels, et surtout de perdre son identité masculine.*

Devant les femmes, il devient facilement vulnérable à se sentir coupable d'être un homme, de faire partie de cette race. En portant ainsi l'odieux des crimes des hommes par le biais des confidences féminines... il prendra facilement sur lui la responsabilité des malaises des femmes et s'en fera faute, ce qui le rendra encore plus doux, plus soumis, et reléguera son affirmation. Il pourra devenir très difficile pour lui de développer une relation amoureuse sous le signe de la parité. Par après, devant les hommes, soit il sera silencieux et timide, à l'écart, gêné se sentant inférieur, soit il tentera de se faire une place en empruntant un masque de dureté pour tenter de cacher ses peurs, ses doutes, sa culpabilité et sa douceur, sentiments qui pourraient, selon ses expériences passées, le trahir et lui attirer le rejet, le ridicule et la violence. Subtilement, il prendra une voix plus grave, il rira des blagues sexistes ou grossières en tentant lui-même d'en faire, il discutera de sport et il tentera de démontrer un silence de dureté, ou tout simplement il fuira la présence de ses semblables. Une autre conséquence est souvent, comme je l'ai signalé plus tôt, cette difficulté à connaître une sexualité satisfaisante. À défaut d'une relation, il lui arrive de fantasmer. Certains ont développé un problème d'éjaculation précoce à force de ne pas assumer leur désir; d'autres sont tellement centrés sur le plaisir de l'autre qu'ils s'oublient, se mettent de côté, et par conséquent éprouvent peu de satisfaction ou développent une vie sexuelle clandestine.

CAS VÉCU

MA PROPRE IDENTITÉ D'HOMME

Pendant des années (de 15 à 27 ans), ce masque a été le principal abri derrière lequel je me réfugiais lorsque je ressentais de l'agressivité. Malgré mon apparence virile, j'étais un homme féminisé dans mon approche et mon attitude générale, j'étais privé de mon affirmation, et lorsque j'osais exprimer un peu de colère je me culpabilisais tellement que j'en avais des tendances suicidaires. À force de regretter et de m'excuser, je détruisais ce que je construisais, et, à force de me retenir, j'éclatais et je détruisais encore. Je me créais ainsi un cercle vicieux de non-affirmation ou d'affirmation non conforme à mes besoins. Je me sentais comme un homme sans colonne vertébrale, vivant continuellement dans la peur. Pour compléter, sans éprouver d'attirance sexuelle pour les hommes, je ressentais des doutes quant à mon orientation sexuelle : j'étais confus. J'avais une peur irrationnelle de découvrir un jour que je n'étais pas un vrai homme, que j'avais une homosexualité refoulée. Cette peur était accentuée par le fait que je cherchais à me couper de mes désirs sexuels envers les femmes pour ne pas les salir, pour ne pas me sentir irrespectueux. J'étais très malheureux et, comme j'étais sans défense, je cherchais à fuir les gens qui s'affirmaient beaucoup et à fréquenter ceux avec qui je me sentais en sécurité. Heureusement, les sports m'ont aidé à trouver une voie pour laisser sortir tout mon potentiel d'affirmation et d'agressivité. Dans ce cadre, ça devenait permis. Lorsque j'eus finalement récupéré ma confiance d'affirmation et mon droit à désirer la femme, les doutes se sont dissipés et une plus grande sécurité s'est installée en moi. J'avais retrouvé mon identité; sans elle, j'aurais risqué de demeurer un homme sans pouvoir sur mes besoins, comme l'est celui qui porte le masque de la victime.   ■

1.2 Le masque de la victime

L'homme qui porte ce masque éprouve une grande difficulté à s'affirmer ouvertement et directement, ce qui résulte en l'insatisfaction de ses besoins. D'une façon différente de l'homme au masque de douceur, l'homme derrière le masque de la victime ressent son agressivité; il tentera de la camoufler, de l'étouffer, ce qui lui amènera un déchirement très désagréable en périodes de frustration. Tout risque de rester secret.

> *Par peur d'être jugé égoïste, de se sentir méchant, pour fuir le sentiment de culpabilité qui le ronge, l'homme au masque de victime essaie de présenter une image d'infortune. Il veut démontrer ainsi que sa vie n'est pas prospère, qu'elle est difficile, et ce, dans le but de susciter chez les gens qui l'entourent la pitié, le ménagement et la prise en charge.*

Lorsqu'il parle de lui, de ce qu'il vit et de ses difficultés, il a tendance à caricaturer et à exagérer, ou carrément à mentir. Sa physionomie représente alors son vécu : le dos ou les épaules arrondis, le regard d'apitoiement, l'habillement sombre d'une modestie exagérée, tel un Séraphin Poudrier, figure mythique de la culture québécoise, qui symbolisait la difficulté d'assumer la prospérité de peur d'être sollicité ou d'avoir à donner. Ce type souffre habituellement d'une grande insécurité affective ou matérielle et s'y entretient en ne développant pas sa capacité d'affirmation. Il peut alors choisir pour « régler » son problème de se couper complètement des besoins autant affectifs que matériels et tenter de s'en passer. Ce type d'homme ne veut surtout pas attirer la convoitise, l'envie, le reproche, ce qui enclenche tout de suite chez lui une insécurité frisant la paranoïa ou une culpabilité très éprouvante et très destructrice; c'est pourquoi il utilisera ce masque. Il provient d'un milieu où répondre directement à ses besoins en les affirmant et en passant à l'action était souvent jugé égoïste; il est découragé, au point de ne pas croire cela possible. C'est la castration. C'est pourquoi il est constamment aux prises entre son besoin et la culpabilité de s'en occuper lui-même. Conséquemment, il mise sur le fait qu'à l'image malheureuse qu'il projette les autres se rendront compte de son besoin, et il en fera ses répondants. Il tentera de favoriser leur prise en charge par son attitude de gars souffrant et impuissant, mal pris, dans un dilemme, donnant souvent l'impression d'être victime d'une injustice. On veut l'aider, mais on a peur de le faire, on a peur de se mettre les doigts dans un mécanisme de générosité à sens unique. Ce malaise chez l'entourage provient de son manque de confiance et de son incapacité à se prendre lui-même en main lorsqu'il rencontre des difficultés. Il a tendance non pas à demander de l'aide, mais à suggérer d'être pris en charge, ce que personne ne tient à assumer, avec raison d'ailleurs.

À chacun la responsabilité de sa vie. Demander de l'aide est autre chose que de suggérer une prise en charge. Lorsqu'une personne demande de l'aide, elle a une attitude qui démontre en même temps qu'elle demeure responsable de sa vie et de ses actions. La prise en charge exprime plutôt que la personne met la responsabilité de sa vie, de ses problèmes ou de ses projets entre les mains des autres, ce qui ne passe pas bien aux yeux de l'entourage, sauf si la personne rencontre un sauveur qui aime prendre en charge pour se valoriser. À ce propos, pour l'homme qui porte un masque de victime, la moindre grippe est vécue comme un virus mortel, une bronchite aiguë lui permettant d'attirer l'attention, l'affection et l'amour dont il a tant besoin malgré sa tentative de s'en passer. Cette tendance à se victimiser pour favoriser la satisfaction de ses besoins et de ses plaisirs est à l'encontre de la virilité enseignée dans notre société, mais elle est adoptée par l'homme qui souffre de culpabilité et qui ne veut pas être identifié à la catégorie des « méchants mâles », c'est pourquoi il évite l'affirmation directe.

Lorsque je pense à ce masque, bien sûr, je me revois dans certaines circonstances dont je ne suis pas nécessairement fier. J'avais besoin, mais je n'osais pas l'exprimer. J'avais envie, mais je ne disais rien en souhaitant que l'autre s'en rende compte. J'avais à ce moment-là un discours qui suggérait mon besoin, mais sans l'affirmer directement. Pour continuer à vivre de cette façon, je tentais d'anesthésier mes besoins. Maintenant, lorsque je me rends compte de cela, je cesse de tourner autour du pot et j'exprime mon besoin de façon claire; j'accepte ainsi le risque de m'attirer un refus. En agissant ainsi, je retrouve ma liberté et je cesse d'utiliser ce masque qui m'amène à perdre ma fierté. Cependant, la personne à qui je pense particulièrement est un gars que j'ai côtoyé dans le monde des affaires.

CAS VÉCU

CACHER LA PROSPÉRITÉ

Il arrivait toujours l'air de rien; il était modestement vêtu, trop pour l'envergure qu'il avait acquise dans les affaires. Présentant de prime abord un air peu menaçant, jamais il ne faisait allusion à la bonne marche de ses affaires, sauf dans des moments précis, pour stimuler les autres dans le sens de ses intérêts. La plupart du temps, il ne voulait pas attirer la convoitise et prendre le risque qu'on lui demande quelque chose. Rien n'était jamais clair : chaque fois qu'il amenait un point au cours des négociations, il ne l'appuyait pas directement, mais donnait l'impression qu'il n'avait pas le choix et que l'on devait le comprendre. De plus, il était tellement « insécure » qu'il changeait d'idée constamment, ce qui troublait beaucoup son entourage. Plusieurs ont souvent éprouvé par après le sentiment d'avoir été manipulés en voyant quel homme prospère il était en réalité du point de vue financier. ■

Comme je le disais précédemment, c'est encore une fois, et comme pour tous les hommes qui portent des masques d'anti-virilité, la conséquence du sentiment de culpabilité ressenti à l'affirmation qui rend impossible la satisfaction directe de ses besoins, tels les besoins d'amour et de sécurité.

1.3 Le masque du charmeur

L'homme qui utilise ce mécanisme de défense le fait souvent pour cacher son besoin quasi insatiable de sécurité affective et sa grande vulnérabilité liée à la peur de perdre. C'est le désir de fuir ce sentiment d'abandon qui le guide. Il est différent du séducteur, dont nous parlerons plus loin, en ce sens qu'il ne cherche pas à manipuler pour répondre à ses plaisirs, mais qu'il utilise tous les moyens en son pouvoir pour charmer, et ce, dans le but souvent inconscient de tenter de répondre à son besoin d'être aimé, fuyant ainsi la souffrance de son vide affectif. Il utilise une approche et une personnalité douces et tendres. C'est pourquoi, contrairement au séducteur, le charmeur ne veut pas manipuler les autres; il se met plutôt à leur service jusqu'à la soumission pour être aimé. Ce sont ses besoins, sa différence et ses malaises qu'il nie. Il risque par la même occasion de perdre son potentiel créateur, car il choisit d'éviter de souffrir d'abandon plutôt que de satisfaire ses besoins d'amour et de sécurité. Lorsqu'il est en amour et vit de la sécurité affective, tout va bien; il crée et agit. Dans la situation contraire, lorsqu'il est seul ou se sent abandonné, mis à l'écart, il risque de tout laisser aller, d'abandonner la relation, de s'abandonner lui-même : c'est le vide. Il a de fortes chances, dans ces conditions, de détruire ce qu'il a construit. Sans sa sécurité affective, il est perdu, car sa vie est orientée en fonction de l'autre et en fonction de fuir le moindre signe de souffrance d'abandon.

> *Ayant souffert d'abandon dans la relation à sa mère, il a cette peur du vide affectif qui le fait s'entretenir dans des relations de dépendance. Il éprouve de la difficulté à assumer sa colère, ses différences et ses malaises par peur de perdre et d'en être responsable. C'est pourquoi il risque de donner plus d'importance aux autres qu'à lui-même. Il sera à la recherche constante d'une femme pour combler ce manque existentiel et vivre enfin.*

C'est au fond un homme rempli de peurs qui se cache derrière cette gentillesse ou cette discrétion séductrices. Lorsqu'il ressent de l'insécurité affective, il a tendance à rechercher la fusion d'une façon compulsive et c'est souvent en voulant séduire et charmer pour avoir un rapport physique ou sexuel qu'il le fait : il cherche ainsi à calmer sa grande insécurité, car il est pour lui extrêmement difficile de s'affirmer s'il y a risque de perdre. Il peut exprimer de l'agressivité, mais sans vigueur, et il arrive souvent qu'elle ne s'adresse pas à la personne concernée. C'est un grand diplomate qui souffre de ne pas affirmer sa personnalité, de ne pas exprimer ses besoins, ses dérangements, ses frustrations, ses manques et ses limites. C'est souvent un homme d'une grande générosité, qui donne avant de penser à recevoir, mais qui malheureusement, même s'il le fait d'une façon spontanée, est très déçu et ne se sent ni important ni respecté lorsque l'autre choisit une route différente. Comme tous ceux qui portent un masque de douceur ou d'anti-virilité, le charmeur est très sensible à la culpabilité, ce qui l'amène à s'étouffer, à se castrer de son potentiel d'affirmation. Pour terminer, il a souvent peu d'intérêt pour la relation avec les hommes, bien qu'il s'en accommode à l'occasion.

CAS VÉCU

FÉLIX ET LA SÉDUCTION

Félix est un homme très attachant, d'une grande tendresse et d'une grande générosité. Il y a peu de temps j'étais avec lui. Un matin, j'arrivai et je le vis assis à son bureau, l'air démoli. Il me mit au courant de l'appel qu'il venait de recevoir concernant une association d'affaires. Il était bouleversé par cet appel. Tout ce qu'il put me dire, c'est : « J'ai peur de perdre, je manque de sécurité... » Je réussis à rester à l'écoute sans intervenir immédiatement, bien que j'eus très mal de le voir dans cet état. À force d'exprimer sa peur et son insécurité, la colère monta en lui et il se laissa aller à dire ce qu'il n'avait jamais osé dire par peur de perdre et de se sentir coupable. Après cela, il prit conscience qu'il avait jusque-là écouté son malaise sans l'exprimer. Il avait passé sous silence son propre besoin de voir son collègue rester fidèle à son engagement. Il vit aussitôt que son insatisfaction était là, dans son silence. Durant l'échange, ça ne lui était pas venu, puisque tout ce qu'il ressentait en tant que charmeur c'était son désir compulsif de plaire pour ne pas perdre. C'est pourquoi il demeurait en manque de son besoin d'affirmation. D'avoir à rappeler son associé pour le lui dire ramenait sa peur de perdre et de se sentir coupable. Mais le fait d'avoir exprimé à une tierce personne et d'avoir clarifié auparavant ce qu'il avait à dire, ce qu'il ressentait, diminua ses doutes, sa peur de ne pas être correct, et lui donna le courage de s'exprimer. Il appela donc son associé pour lui faire part clairement de son malaise et de ses besoins. ■

Ce qui suivit fut assez révélateur sur le fonctionnement psychique du charmeur. L'appel étant fait, nous nous sommes rejoints pour aller dîner. Félix, après avoir donné son point de vue, se sentait moins vulnérable et prêt à perdre, même si c'était très clair que ce n'était pas ce qu'il voulait. Il tenait vraiment à cet associé et croyait à leur projet mutuel. Cela ne l'empêcha pas de me dire, lors du dîner, qu'il ressentait de l'insécurité et qu'il avait peur d'être abandonné, mais le fait d'avoir dépassé sa culpabilité en l'affirmant directement à la personne concernée lui avait donné l'assurance d'être prêt à accepter ce qui arriverait. Tout le long du repas, Félix eut de la difficulté à être présent pour moi; il ne faisait que regarder les femmes; il ressentait beaucoup de désir, il avait le goût de séduire. Je le lui fis remarquer et c'est à ce moment qu'il prit conscience que, chaque fois qu'il ne se sentait pas en sécurité, qu'il avait peur de perdre, il se réfugiait compulsivement dans la séduction et le charme, comme pour trouver une bouée dans la mer agitée de l'insécurité affective, comme pour rechercher la fusion corporelle dans la sexualité avec la femme, la mère. Il me dit qu'aujourd'hui il n'irait pas jusqu'à la baise, mais qu'il fut un temps où il se serait enfilé quelques bières et qu'il s'y serait rendu pour calmer son mal, pour pallier sa difficulté de vivre et de gérer son insécurité affective.

> *Le cheminement pour le charmeur est de développer son indépendance affective par une meilleure connaissance de lui-même, par l'affirmation directe malgré sa peur d'être abandonné et de se sentir coupable. Cela aura pour effet de réduire sa recherche compulsive de conquête. Par l'affirmation dans l'engagement, il retrouvera sa sécurité, son acceptation et sa virilité manquante.*

1.4 Le masque du séducteur

Le masque du séducteur est adopté par un homme habituellement peu en contact avec ses émotions profondes et avec ses besoins. Point très important, qui le différencie énormément de l'homme qui porte le masque du charmeur, c'est qu'il est plutôt égocentrique, c'est-à-dire centré sur ses plaisirs plutôt que sur ses besoins affectifs réels tel l'amour. Il séduit par la flatterie ou impressionne dans le but d'amener l'autre à atténuer ses souffrances ou ses déplaisirs. Il veut l'inciter à participer à ses activités dans le but de satisfaire ses jouissances et ses plaisirs tels que la nourriture, la sexualité, ses ambitions personnelles, ses « bébelles » et ses jeux (camion, quatre roues, motoneige, motomarine, voilier, ordinateur, son commerce, la bourse, la politique, la chasse, la pêche, l'aménagement extérieur, l'entraînement sportif et autres), qui servent souvent de compensations à ses besoins réels d'être aimé, sécurisé, valorisé, reconnu, écouté... Son but n'est pas de partager avec l'autre, mais de l'amener, sans tenir compte de ses goûts, à jouer avec lui ou pour lui. Il est habituellement d'apparence plaisante, doué d'une voix mielleuse, et il recherche le contact physique en visant rapidement la familiarité. Pour diverses raisons, dont les expériences frustrantes qu'il a connues étant plus jeune, il garde au fond de lui peu de confiance en sa capacité de satisfaire d'une façon ouverte ses besoins affectifs dans une relation tout en laissant l'autre libre. Il ne croit tout simplement pas à la communication authentique. En théorie oui, mais, lorsqu'il s'agit d'y faire face, c'est autre chose. Il préférera la manipulation à l'expression de ses besoins. Il a une grande peur de souffrir de privation à la suite d'un refus; c'est pourquoi il évite d'adresser des demandes directes. Il préfère de loin laisser l'autre deviner, lui envoyer des messages ou le culpabiliser plutôt que de vivre et de gérer la souffrance d'une privation. Ces comportements sont possiblement causés par une coupure face à ses besoins affectifs réels. Il entretient chez lui l'orgueil de ne pas les exprimer directement en laissant l'autre libre d'y répondre ou non. Cette tendance compensatrice à ses besoins, axée compulsivement sur ses plaisirs, peut donner à ceux qui l'entourent le sentiment d'être considérés comme des objets, l'impression de ne pas être vraiment importants mais plutôt utilisés. Par exemple, le type masqué du séducteur ne demandera pas clairement à l'autre s'il a envie de faire l'amour, et ce, de peur d'essuyer un refus, mais fera tout en son pouvoir pour l'amener à avoir une relation sexuelle avec lui.

Le séducteur a probablement grandi dans un milieu où la communication était chose fermée ou à double message. Les sujets importants pour l'enfant en ce qui concerne ses besoins affectifs, dont sa sécurité, n'étaient jamais abordés d'une façon directe, ou ne l'étaient pas avec pleine vérité. La communication devenait un miel empoisonné par le mensonge, et le non-dit qu'elle renfermait justifiait chez l'enfant son manque de confiance en cette approche relationnelle.

> *L'homme qui arbore le masque du séducteur répétera de façon indirecte le contentement des plaisirs qu'il aura développés dans sa jeunesse, et ce, pour compenser ses manques affectifs, qu'il confondra plus tard avec ses besoins.*

CAS VÉCU

MARC, FILS D'ALCOOLIQUE

Marc, fils d'un père alcoolique et violent, apprit très jeune à ne pas croire en la communication. Un jour, il tenta d'avoir l'heure juste sur ce qui s'était passé la veille entre ses parents car, au lever, il avait vu sa mère en piteux état. Les réponses n'étant pas claires autant de la part de son père que de sa mère, il se mit à ressentir de la non-confiance et à devenir très insécure en ce qui concerne le bien-être de sa mère et la vie de famille. Dans son sentiment d'impuissance, de non-confiance et d'insécurité, dans l'impossibilité de combler son besoin affectif, Marc chercha refuge dans des plaisirs (jeux, télévision, activités extérieures) afin de calmer ses malaises devant son incapacité d'obtenir la vérité. Plutôt que de confirmer le senti de l'enfant, les réponses furtives de ses parents (par peur de dévoiler leurs imperfections ou par peur d'insécuriser l'enfant), et ce, malgré l'évidence d'un conflit, ont peu à peu entretenu chez l'enfant une non-confiance en la communication, qui s'est traduite par une fuite compulsive à travers les plaisirs pour soulager les tensions causées par les manques affectifs. Ainsi Marc façonna-t-il son masque de séducteur; il recherchait la satisfaction à ses plaisirs et à son besoin de sécurité affective. Et ce masque s'est durci au cours de son évolution psychologique. Ce manque de confiance en la communication aurait pu être évité et Marc rassuré avec des phrases du type suivant : « Oui, mon garçon ! Tu as vu juste, maman et moi avons eu un conflit et nous sommes en désaccord ce matin. Ce sont des choses qui arrivent quelquefois. Cela ne met pas nécessairement notre vie de famille en péril et nous allons nous occuper de cela. Mais oui, tu as vu juste. » Mais, les parents ayant biaisé les informations, Marc demeura insécurisé, et sûrement encore plus en imaginant plutôt qu'en sachant. Il développa alors un manque de confiance en ses émotions, en son ressenti et en la communication. De tels mensonges ou de telles dérobades peuvent faire que le séducteur, pour répondre à son grand besoin d'être aimé, sécurisé, et pour apaiser sa grande peur de ne pas l'être, préférera le mensonge à la vérité ou enrobera la réalité pour la rendre moins choquante. Il s'entretient ainsi, à son tour, dans des relations insécurisantes où, à tout moment, il redoutera que l'autre ne découvre la vérité. Pour se détourner de cette insécurité, il se créera possiblement des relations dites « tablettes », c'est-à-dire des portes de sortie ou échappatoires dans le but de calmer son angoisse. Il a besoin de sécurité affective, ce qu'il a de la difficulté à acquérir parce qu'il ne donne pas l'heure juste, ne s'engage pas entièrement, n'accepte pas les limites des autres et ne s'implique pas avec une transparence complète. ■

Le séducteur se prouve sa virilité et renforce son sentiment d'être un homme en conquérant, en séduisant. Plus il séduit les femmes, plus il accumule de conquêtes, plus il réussit à vendre ses idées, plus sa valeur monte, plus il se sent un homme. Il s'encouragera compulsivement dans cette voie pour tenter de combler un vide affectif important, conséquence de sa difficulté à créer des relations affectives profondes et engagées basées sur l'expression de sa sensibilité. Cependant, à l'encontre de ses besoins affectifs, lorsque, dans ses relations, il se trouve avec une femme prête à s'engager, il peut s'en désintéresser. Il ne la laissera pas nécessairement mais, le plus souvent, il ira voir ailleurs, lui portera moins d'attention car il n'a plus à la conquérir. Il a besoin que la relation reste vivante, jamais acquise, et pour cela il se doit de rester « authentique ». Malgré ses besoins affectifs et sa peur de souffrir d'un manque, il a besoin de s'engager tout en gardant son autonomie. C'est pourquoi j'encourage fortement la femme en relation avec le séducteur à demeurer particulièrement indépendante. C'est comme si, pour lui, le besoin de sécurité affective entrait à certains moments en contradiction avec sa soif de conquérir et de séduire. S'il n'a pas de limites ni d'engagement clair, il butinera et ne dépassera probablement pas la peur de s'engager avec une seule femme et de perdre ainsi la possibilité d'avoir les autres.

Sur le plan émotif, comme je le disais précédemment, c'est un homme peu en contact avec ses émotions réelles, car il est branché sur l'extérieur et cherche à s'y adapter pour arriver à la satisfaction de ses plaisirs ou pour apaiser ses souffrances, particulièrement pour éviter l'abandon et l'insécurité affective. Comme il a peur de l'engagement, il évite la communication authentique, car elle est justement synonyme d'engagement. En ce sens, le séducteur est le caméléon par excellence de la manipulation. Il devient alors très difficile de savoir si l'émotion exprimée est réelle ou s'il adopte un masque ou joue un personnage. Il est possible que, lorsqu'il pleure ou exprime sa peine, c'est qu'il a compris que cela pourrait séduire l'autre.

Le séducteur ressent son agressivité, mais d'une façon différente de l'homme doux. Comme lui, il l'exprime peu ou pas du tout, car « ce n'est pas bien, c'est être méchant », et surtout ça ne sied pas à son masque de séduction, sauf s'il perd ou s'il est rejeté. Il changera alors de masque pour, cette fois-ci, manipuler en intimidant ou en jouant la victime de façon agressive, car il sait qu'il n'a plus rien à perdre puisqu'il n'a pas conquis. C'est possiblement dans la vie un excellent vendeur d'idées ou de biens de consommation. Cependant, il utilise malheureusement plus la communication pour séduire et arriver à la satisfaction de ses plaisirs que pour combler ses besoins affectifs. Il risque de passer ainsi à côté d'un bonheur plus durable.

Pour l'homme lui-même, c'est probablement un des masques les plus difficiles à admettre étant donné le caractère négatif qui s'y rattache. Cependant, il est important pour lui de le reconnaître pour apprendre à donner de plus en plus l'heure juste, à renouer avec ses émotions véritables, à assumer sa peur de perdre et d'obtenir des réponses négatives. Il pourra ainsi développer des relations sécurisantes et nourrissantes et arriver à s'engager dans une seule voie, et non dans plusieurs en même temps comme dans une fuite de la solitude ou de la frustration.

> **Pour les gens en relation avec le séducteur, ce qui importe le plus, ce n'est pas de le démasquer, mais d'apprendre à ne pas laisser la séduction les manipuler.**

Comment procéder ? En ne perdant pas de vue ses propres limites, sa différence et ses besoins personnels, ce qui n'est pas toujours facile pour les gens manipulés. Être séduit est souvent valorisant au point de s'oublier; de plus, la peur de perdre est assez grande pour donner du pouvoir à l'autre sur sa vie. Plutôt que de porter uniquement le blâme sur le séducteur-manipulateur, il devient important de voir en soi ce qui fait que l'on s'est laissé séduire au point d'être manipulé soit par des promesses, soit par des menaces.

Malgré la capacité de ressentir l'agressivité, je considère celui qui porte ce masque comme faisant partie des anti-virils, car c'est par la douceur qu'il tente de se présenter aux autres et qu'il demeure souvent vulnérable à la culpabilité, même s'il lui est difficile de l'accepter, particulièrement lorsqu'il se sent abandonné et qu'il vit de l'insécurité affective. L'homme qui se cache derrière ce masque est souvent très mal à l'aise avec toute forme de privation et de souffrance, comme c'est le cas pour Robert.

CAS VÉCU

ROBERT ET LA PEUR DE LA SOUFFRANCE DU MANQUE

Robert est un homme qui a très peur de souffrir, que ce soit de la privation, de l'abandon, de la culpabilité ou de l'insécurité. C'est comme s'il était allergique à tout ce qui peut lui faire ressentir malaises et souffrance. Il est né d'un père absent et d'une mère victime et dépendante continuellement en conflit, ce qui engendrait de l'insécurité au sein de la famille. Porté à fuir ses émotions depuis son jeune âge, émotions désagréables créées par cette instabilité familiale, il a développé comme l'avaient probablement fait ses parents une multitude de mécanismes de défense. Ceux-ci visaient à contrôler les autres, à les influencer, à les manipuler, et ce, dans le but soit de satisfaire ses plaisirs, soit d'éviter de souffrir. Il mentait, niait la vérité ou les évidences; il enrobait la réalité; il évitait ou fuyait les sujets embarrassants. Il culpabilisait l'autre lorsqu'il se sentait pris en défaut ou était dénoncé. En dernier recours, il se victimisait en disant que tout était contre lui, que la vie lui était défavorable depuis toujours. C'était une stratégie pour garder l'autre sous son contrôle, pour ne pas être abandonné. Incapable de donner l'heure juste ou de faire des demandes directes qui auraient laissé à l'autre la liberté de dire non, il entretenait dans ses relations beaucoup de non-dits et finissait ainsi par s'attirer l'insécurité affective, l'abandon, la méfiance, le doute et la perte. Par exemple, ayant peur que sa nouvelle copine n'apprenne qu'il avait gardé contact avec son ancienne partenaire et n'osant dire ni à l'une ni à l'autre la vérité dans le but caché de ne pas se retrouver seul, Robert se tenait sans cesse sur le qui-vive lorsque le téléphone sonnait et se sentait de plus en plus mal à l'aise avec les deux femmes. N'étant franc dans ni l'une ni l'autre des relations dû à son manque de transparence au sujet de ses sentiments et à son manque de foi en la communication, il finit par perdre les deux femmes. Mais, en raison de l'honnêteté dont il a fait preuve par la suite, il a tout de même réussi à renouer avec une des deux et à créer avec elle une relation amicale beaucoup plus franche et beaucoup plus satisfaisante. ■

Là ou le séducteur a une chance d'attirer l'attachement et l'amour dont il a tant besoin, c'est lorsqu'il assume et exprime sa souffrance de dépendance affective, non pour être pris en charge mais dans un but d'honnêteté, de transparence et de prise en main de ses responsabilités. Cette sensibilité doit l'amener à assumer le fait qu'il soit un homme dont les besoins affectifs sont en contradiction avec les valeurs de la virilité, ce qui l'encourage à toujours cacher sa nature insécure, comme le font d'ailleurs tous les hommes qui portent des masques d'anti-virilité tel l'insaisissable clown.

1.5 Le masque de l'insaisissable clown

Ce masque met en cause la personne qui manque de confiance en elle, assez pour ne pas se montrer telle qu'elle le ressent vraiment dans sa polarité dite négative : jalousie, colère, peur, malaise, peine, etc. Le masque du clown est un moyen de défense qui a pour objet de faire paraître l'homme qui le porte plus sociable qu'il ne l'est intérieurement. Il aura tendance à cacher ses comportements (qu'il juge antisociaux, méchants ou égoïstes, particulièrement sa colère) d'une façon assez habile pour devenir insaisissable, et ce, au point de dérouter et de faire croire aux gens qui l'entourent que tout lui coule sur le dos. Il aura alors tendance, plutôt que d'écouter sa colère et de la gérer dans le but de se connaître davantage et de mieux communiquer, à la transformer en humour en banalisant ce qu'il ressent et en l'accumulant. Le risque est, avec le temps, de faire tourner son humour en des blagues sarcastiques, moqueuses et blessantes pour ceux qui l'entourent. C'est une façon pour lui de fuir les situations corsées : « Ben voyons donc ! Tu dramatises ! Comme d'habitude, tu t'en fais ben trop, t'analyses trop, t'es trop sensible, oublie ça c'est pas grave... »

Contrairement à l'homme qui porte le masque du doux et qui ne ressent même plus son agressivité, l'homme derrière le masque de l'insaisissable clown est en contact avec elle : il se surprend souvent à la nier, à la refouler, en la banalisant. Sa culpabilité lui interdit l'expression directe de son agressivité en société. On peut dire qu'en général il est mal à l'aise avec les émotions désagréables telles que la peine, les pleurs, les malaises, l'agressivité et les peurs. C'est particulièrement ces dernières qu'il cache en société. À force d'accumuler, il n'est pas rare qu'il se défoule sur ses intimes, souvent d'une façon injuste. L'homme qui revêt ce masque provient habituellement d'un milieu où il y avait peu de communication authentique sur ce qui est de l'ordre du négatif (jalousie, colère, dérangement). Lorsque cela se produisait, il s'agissait immanquablement de terribles tempêtes, souvent traumatisantes étant donné l'ampleur du refoulement de l'agressivité et des insatisfactions accumulées. Ce refoulement crée entre les gens une tension qui finit par éclater, souvent pour une peccadille.

C'est ce même système de refoulement et de décharge émotive démesurée entre Philippe et son père qui dégénéra en violence. Cette décharge confirme souvent pour l'homme au masque de clown qu'il vaut mieux se taire. Le système du refoulement reprend ainsi pour s'installer en force. Dans le milieu familial de Philippe, on valorisait particulièrement la bonne humeur et les gens sans problèmes ni complications. On citait même en exemple les personnes ayant un sens exagéré de la flexibilité, de la compréhension et de la complaisance. L'homme qui porte ce masque essaie de se convaincre et de convaincre les autres que tout est toujours correct, très bien, et qu'il fait toujours beau. Dans ce fonctionnement, il a développé et entretenu, probablement comme ses parents, une très grande peur de la souffrance et de l'intimité.

Très jeune, il a adopté le rôle du clown, du petit rayon de soleil, pour masquer ses conflits intérieurs et ceux de sa famille.

CAS VÉCU

LE PETIT RAYON DE SOLEIL QUI FAISAIT RIRE POUR OUBLIER LES TRISTESSES

Ce masque me ramène à ma relation à ma mère. Combien de fois l'ai-je vu souffrir et, à chaque occasion, je me sentais impuissant devant la situation. J'étais démuni. Une grande peine m'envahissait; c'était intolérable. Je ne voulais pas entendre ma mère me confirmer mes peurs et son mal. Pour fuir ma tristesse, je tentais de la faire rire par tous les moyens dont je disposais et je crois bien qu'elle appréciait mes pitreries. À force de pratique, je devins très habile à masquer mes peines, mes inquiétudes, et à taire celles de ma mère. Chaque fois que je réussissais à la faire rire, c'était pour moi une victoire et une fierté. J'étais devenu le petit rayon de soleil sur lequel on comptait lorsque la tristesse voulait s'installer chez nous.

Le porteur d'un tel masque risque, dans cette dynamique de silence sur ses malaises, de développer au fil du temps (tout particulièrement dans ses relations intimes) de plus en plus de colère et de frustration, ce qui l'entraînera soit vers la fuite soit vers une crise hors de proportion avec l'élément déclencheur. Il peut lui arriver ensuite de basculer dans une culpabilité propre à ce type de masque, culpabilité qu'il cherchera probablement à fuir en banalisant la situation ou en rendant l'autre responsable : « C'est ta faute si je me suis fâché, ou tu es trop sensible ! » De nature assez sociable par son côté blagueur et jovial, il risque, pour tenter de se libérer de tous ses refoulements, de verser dans l'abus d'alcool et de drogues, ce qu'on retrouve facilement dans les multiples rencontres sociales. C'est un homme souvent très inconscient de ce qu'il ressent et de ses réactions, tout comme Mario, à qui je venais de faire toucher du doigt son attitude de colère et d'impatience et qui ne le réalisait pas vraiment.

> **L'homme au masque de l'insaisissable clown cherche à se présenter socialement d'une façon tolérante. Dans l'intimité de sa famille, à force de refouler ses malaises et sa colère, il peut devenir un vrai despote en critiquant, jugeant, dénigrant, hurlant, accusant et agressant.**

En ce qui concerne sa masculinité, comme c'était le cas pour les masques précédents, il a une identité fragile, c'est-à-dire qu'il n'est pas certain de sa virilité étant donné sa difficulté à s'affirmer d'une façon directe. Il demeure vulnérable à ressentir de l'infériorité face à certains hommes qu'il juge plus virils que lui par leur apparence, leur capacité d'affirmation ou leurs réalisations. Derrière son masque de bonne humeur et d'humour, il ressent de la contradiction car, comme chez plusieurs personnes de notre société, il est ouvertement contre l'agressivité mais, en même temps, il valorise et envie ceux qui l'extériorisent. Il lui arrive de verser alors dans le masque du gars dur qui s'affirme pour retrouver son sentiment de fierté d'être un vrai homme, mais ce n'est malheureusement pas authentique et c'est de très courte durée. Il a beaucoup plus peur qu'il n'est capable de s'affirmer et éprouve de la difficulté à assumer cette peur. Quant à son apparence, il se présente très simplement, mais en même temps il ressemble de près au petit garçon qu'il était. À ce sujet également, il n'assume que très peu sa masculinité.

CAS VÉCU

CLAUDE, LE BOUTE-EN-TRAIN

Lorsque je pense à ce type de masque, il me vient facilement à la mémoire plusieurs gars très sympathiques connus dans des groupes, souvent des gars populaires. Mais je pense surtout à Claude. C'est un vrai boute-en-train : il chante, il joue de la guitare et connaît une multitude de blagues qu'il raconte très bien. À l'entendre, Claude n'a jamais de problèmes avec qui que ce soit. Cependant, il n'est pas rare de l'entendre parler contre l'une ou l'autre des personnes de son entourage qui sont absentes et de le voir changer de discours lorsque l'une de ces personnes se présente. Il fut frappant de constater que Claude ne verbalisait jamais ses dérangements ou ses malaises devant les personnes concernées, mais uniquement devant les autres. J'ai eu peur qu'il agisse de la même façon dans la relation que nous entretenions. C'est une façon inconsciente pour lui de laisser sortir ce qu'il refoule. Lorsque je tentai d'aborder ce sujet avec lui, il nia son comportement et, lorsque je lui fournis des exemples, il me répliqua que ça ne se faisait pas de le dire à la personne directement. Avant de me répondre ainsi, il était visiblement dans l'eau bouillante et faisait tout pour dévier la conversation, ce qu'il réussit d'ailleurs assez rapidement. Le cheminement pour Claude sera d'apprendre à identifier et à accepter ses émotions dites « négatives » pour être en mesure de les gérer et de les exprimer d'une façon constructive dans ses relations. ∎

> *Les hommes favorisant les masques d'anti-virilité sont souvent peu attirés par une relation d'amitié avec d'autres hommes : ils recherchent presque exclusivement à entretenir ce type de relation avec des femmes. Cependant, malgré le manque d'intérêt et les peurs que cela peut occasionner, je les encourage fortement, pour raffermir leur identité, à développer des relations authentiques avec d'autres hommes.*

Par des relations plus authentiques et plus chaleureuses avec leurs semblables, les hommes qui revêtent des masques d'anti-virilité développeront davantage leur indépendance affective face aux femmes, ce qui aura pour effet d'enlever de la pression dans leur relation amoureuse, pression souvent responsable de la jalousie, du contrôle et de plusieurs conflits. De plus, ce type de rapport peut favoriser une plus grande paix avec les émotions liées à la masculinité qu'ils ont l'habitude de rejeter.

En résumé, les hommes masqués d'anti-virilité ne sont pas contre toutes les émotions, ils sont contre les émotions dites négatives, particulièrement la colère, qu'ils jugent, nient et refoulent, se coupant ainsi de leur force d'affirmation et de leur sentiment d'identité d'homme. C'est souvent le drame des hommes en réaction contre les émotions dites viriles. Ils peuvent exprimer aux autres des besoins ou des limites, mais souvent sans trop de conviction, sans impact sur les gens avec lesquels ils tentent de s'affirmer.

Ce sont souvent des hommes très sensibles, émotifs même, qui, bien concrètement, ont développé dans la communication l'expression des émotions positives d'une façon survalorisée en cherchant à nier leur colère et à s'en débarrasser. Ils refoulent, en fait, tout ce qui pourrait les amener à devoir s'affirmer. Ils préfèrent anesthésier tout cela. Les émotions qu'ils rejettent sont reliées à l'affirmation, à l'agressivité, puisque cela les ramène à la virilité, ce à quoi ils ne veulent pas être associés; ils ne veulent pas ressembler au père et à l'homme « méchant », qu'ils cherchent à fuir en eux pour éviter cette culpabilité si destructive et si intolérable pour eux.

Par conséquent, pour l'insaisissable clown, le charmeur et le séducteur, la souffrance est l'autre type d'émotion dont ils cherchent à s'affranchir et qui les entretient dans une dépendance affective : s'accrocher à l'autre, ou l'attacher à soi, pour ne jamais souffrir du manque. Heureusement, la qualité du défaut des hommes qui adoptent un masque de douceur, c'est qu'ils ont souvent une meilleure capacité à verbaliser leurs peines et leurs souffrances puisque moins orgueilleux. Ils ont alors accès à une communication moins conflictuelle dans l'intimité, ce qui favorise davantage le rapprochement. Cependant, lorsqu'ils ont à exprimer un manque, un besoin ou un désagrément, ils ont tellement tendance à enrober et à rationaliser que cela n'a plus d'impact. En ce qui concerne la capacité à ressentir de l'agressivité, la différence entre ceux qui portent des masques de séducteur et de clown, c'est que les derniers ressentent leur agressivité, mais la contrôlent, la retiennent et souvent la dévient. C'est ainsi que, pour cette première catégorie de masques, toutes les émotions ne sont pas à proscrire, ce qui n'est pas le cas chez les hommes qui arborent les masques d'anti-émotivité.

2. LES MASQUES D'ANTI-ÉMOTIVITÉ

> **Ce type de masque est porté par des hommes qui éprouvent très peu d'infériorité et de culpabilité tellement ils s'en défendent : ils évitent à tout prix d'être réceptifs à leurs émotions, lesquelles sont à leurs yeux un signe d'infériorité, d'imperfection, d'immaturité par perte de contrôle.**

La seule émotion qui leur soit pertinente en certaines occasions est l'agressivité, considérée souvent comme une façon de reprendre le contrôle sur l'incontrôlable, sur ce qui les dérange. Il est souvent très pénible de côtoyer des hommes portant des masques d'anti-émotivité car, en leur présence, on peut, au cours de cette défensive, se sentir facilement infériorisé ou considéré comme affligé d'un problème si l'on essaie de communiquer avec authenticité, toute émotion chez eux étant rationalisée. Leur sentiment d'identité est souvent relié à l'intelligence, au pouvoir et au taux d'influence qu'ils manifestent, que ce soit par le rôle, le statut, l'argent, les idées, l'évolution ou les biens matériels. C'est pourquoi l'accent est mis sur une apparence de réussite et de supériorité qui exclut l'émotivité. Comme le dit Élisabeth Badinter dans le livre *XY de L'identité masculine* : « La masculinité est alors mesurée au succès du mâle[4]. » Cependant, malgré cette apparence de sagesse, de paix et de supériorité présentée par le contrôle émotif de ce type de masque, il demeure un déséquilibre

---

4. Badinter, É. *XY de l'identité masculine*, Paris, Éditions Odile Jacob, 1992, p. 21.

de la raison sur l'émotion. Ce déséquilibre résulte de la vie passée du porteur et est ancré lourdement au cœur même de sa dynamique, et ce, en raison des peurs qu'il a de ses émotions et des croyances qu'il en a acquises.

Quant à l'origine sociale, ce type de masque est basé sur le principe philosophique de la séparation entre le monde émotif et le monde rationnel, le second l'emportant sur le premier. C'est comme si le monde des émotions avait à être mené et contrôlé par le monde de la raison plutôt que soit établi un juste équilibre entre les deux à partir de l'écoute, du respect et de la compréhension du monde des émotions. C'est une pensée qui résulte de la peur des pulsions, comme l'explique Michel Lobrot, dans le livre *Le choc des émotions*, y rappelant les origines de la pensée cartésienne (déf. *Le Petit Robert* : pensée cartésienne; qui présente les qualités intellectuelles, considérées comme caractéristiques de Descartes. V. Clair, logique, méthodique, rationnel, solide [...] pondérés [...]. Déjà Socrate (470-399 av. J.-C.) et Platon (428-347 av. J.-C.) considéraient l'émotion, les pulsions et les désirs comme des ennemis du bien-être et de l'évolution normale de l'homme et de l'espèce humaine. Lobrot ajoute aussi qu'Aristote (384-322 av. J.-C.), pour sa part, les ignorait simplement, ne donnant la place qu'à la philosophie et à l'intellect. Cela ne discrédite pas ce que ces grands penseurs ont apporté, mais Lobrot fait ressortir objectivement l'impact de leurs influences et celui de l'ère grecque sur cette dichotomie. Il semble que ce soit avec les écrits de Descartes (1596-1650) et sa pensée cartésienne, avec l'ère de l'homme industrialisé, que fut vraiment confirmée et renforcée la pensée des stoïciens (déf. *Le Petit Robert* : v.1300 : [...] Qui suit la doctrine de Zénon (426-491). [...] une « impassibilité plus stoïcienne que chrétienne ». La maxime stoïcienne : supporte et abstiens-toi. [...] qui professe l'indifférence devant ce qui affecte la sensibilité. [...] courage pour supporter la douleur, le malheur, les privations, avec les apparences de l'indifférence. [...] courageux, dur, ferme, héroïque, impassible, inébranlable. « [...] impassible, silencieux ».) Cette pensée de Descartes sépare le corps de la pensée, le rationnel de l'émotion et le corps de l'âme en insistant encore une fois sur l'importance de l'emprise de la raison sur l'émotion, en faisant des comparaisons entre le bien et le mal, le civilisé et le sauvage, le cocher et la charrette. Cette pensée fut appuyée par l'Église. Voici ce que dit Lobrot en parlant de l'affectivité et qui met en lumière le monde des émotions et de son mépris par les penseurs :

L'Affectivité fait peur

L'émotion est à son comble quand on commence à se pencher sur cette réalité qui est au cœur de la vie affective : l'émotion. De même qu'il y a une passion contre la vie affective, qu'on perçoit chez beaucoup de scientifiques actuellement, et qui ne fait que démontrer, pour ainsi dire expérimentalement, l'importance de cette chose qui gêne, il y a une émotion face à l'émotion. [...] Cela tient probablement au fait que l'émotion est un « ébranlement », comme on disait autrefois. Elle apparaît d'emblée comme un tourbillon, une tempête. [...] L'idée qu'on puisse être « le jeu », comme on dit, de ses émotions, comme des passions, fait horreur. [...] Les stoïciens inventent donc une deuxième parade qui, elle aussi, fera fortune. Ils disent que cette partie de nous-mêmes, qui possède l'intellect, a pour fonction de s'opposer aux passions, de prendre une position supérieure, de créer l'« apathie (déf. Le Petit Robert : « Insensibilité voulue comme conforme à l'idéal humain. [...] Incapacité d'être ému ou de réagir (par mollesse, indifférence, état dépressif, etc.). v. engourdissement) et l'ataraxie », de nous rendre maîtres de

> *nous-mêmes. On ne parle pas encore de l'âme et du corps, comme on le fera dans la tradition chrétienne, mais on n'en est pas loin. [...] Si la partie intellectuelle est chargée de nous libérer de l'autre, c'est que cette autre fait peur. La peur est aussi une émotion. On n'en sort pas. [...] Le Moyen Âge introduit l'âme et le corps, ce qui va clarifier les choses. Les positions ne varieront plus jusqu'au XVIIIe siècle. Les passions viennent du corps, et l'âme spirituelle a pour fonction de les contrôler. [...] Descartes achève tout son œuvre, en 1649, par un Traité des Passions. [...] , il accentue, encore davantage que ses prédécesseurs, la séparation de l'âme et du corps. [...] l'âme n'a qu'une solution : résister. Elle le peut et elle le doit. Les passions sont faites pour être surmontées*[5].

On voit que le désir d'élever la raison au-dessus des émotions en les écrasant, en les faisant taire, est solidement ancré chez l'homme depuis des siècles et part d'une peur des pulsions et des émotions plutôt que du respect du fonctionnement naturel de l'être humain. Dans un but légitime, probablement la recherche d'un plus grand équilibre, certains grands esprits, à qui cette théorie convenait peut-être bien (quoique, selon Lobrot, Descartes, à un certain moment de sa vie, eût reconnu que de contrôler ses pulsions était une théorie difficilement applicable), versèrent dans un déséquilibre qui ne respecte justement pas le fonctionnement de l'être humain, mû d'abord pas son monde affectif et émotif. C'est de là que se renforcèrent chez les hommes les masques du superficiel, du mystérieux sage, du supérieur et du rationnel.

---

5. Lobrot, M. *Le choc des émotions*, Tours, Éditions de la Louvière, 1993, p. 4.

2.1 Le masque du superficiel

Le masque de superficialité est l'apparat de celui qui choisit d'investir d'une façon déséquilibrée dans son apparence extérieure au détriment de son monde intérieur. Il le fait souvent en méprisant sa sensibilité, sa vulnérabilité et son émotivité, car dans son éducation il en a développé de la honte. Il mise alors beaucoup sur une façade de réussite conforme aux valeurs véhiculées dans son milieu d'origine. Il a fini par croire que son bien-être, son bonheur, sa valeur et son identité sont liés uniquement à l'habillement à la mode ou de haute couture, au parfum qu'il porte, à la marque de voiture qu'il conduit, aux beaux mots qu'il choisit, aux relations sociales importantes qu'il entretient, à la possession des gadgets les plus récemment parus, tels le plus gros téléobjectif ou le téléphone cellulaire dernier cri, encore plus léger et plus compliqué. Ce sera par exemple souvent un homme qui, sans en avoir les moyens financiers, aura dans l'entrée de la maison une voiture de marque luxueuse au détriment de besoins plus essentiels, ou qui sera pris d'une honte quasi incontrôlable de voir la totalité de ses avoirs matériels diminuer. Ce n'est pas que ce soit mal, mais il risque de ne pas placer ses priorités à la bonne place. Le matériel et l'apparence tiennent pour lui une place de premier plan, et ce, pour démontrer son statut de réussite ou pour trouver son bonheur. Ainsi, et souvent, il n'arrive pas à nourrir ses besoins affectifs en exprimant simplement et humblement ses émotions, ce qui serait pour lui source de bonheur et donnerait un plus grand sens à sa vie. Cela sans nier l'importance de ses ambitions et de son image de marque, qui doivent passer en second. Ce contre quoi je n'ai absolument rien, car la beauté extérieure des gens et la possession de biens matériels ont un attrait indéniable et sont sources d'une grande reconnaissance, d'une valorisation et d'une fierté non négligeables. Mais le danger est de s'y perdre au détriment de l'intériorité et de l'expression de son monde affectif, de perdre également de vue le besoin d'amour, d'affection, d'écoute et d'échange sincère. Pour être équilibré, il a besoin des autres et, pour être pleinement heureux, il doit leur dire.

Pour s'assurer de la solidité de son masque, il parlera fièrement de ses nombreux contacts dans les milieux influents ou artistiques; il jettera un regard hautain, frisant le mépris et le snobisme, sur la simplicité, l'émotivité et la pauvreté, et ce, avec autant d'intensité que la honte et le ridicule dont il fut possiblement victime au cours de son enfance concernant l'expression de ses émotions. À force de refuser ce qu'il est en profondeur, sensible, émotif, il a fini par se persuader que l'identité est beaucoup plus une question de paraître au sommet que d'être soi-même. Cela devient une façon inconsciente de vivre qui orientera ses choix, ses priorités et ses types de relations, et qui l'amènera à ne pas reconnaître ses besoins affectifs et même à vivre à leur encontre. Cet intérêt marqué pour le superficiel peut l'amener à développer trois attitudes principales devant la vie : vénérer ou snober, aduler ou ridiculiser, s'inférioriser ou se supérioriser. Il est toujours en quête de quelqu'un ou de quelque chose de plus à la mode, de plus nouveau, de plus avancé, de plus élevé, de plus grand, de plus beau, de plus impressionnant, ou de plus… toujours plus…, ce qui peut l'amener à passer tout à côté, sans le voir, de ce qui pourrait le nourrir sur le plan affectif. Ce peut être souvent un être égocentrique, centré sur ses plaisirs et loin de ses besoins affectifs, qui a tendance à se survaloriser, même à se vanter. Il a une grande soif d'être reconnu, d'être vu, soif dont il n'est pas vraiment conscient, qu'il n'accepte pas toujours.

Cette recherche vise à fuir la solitude et la honte tout en se faisant valoir. Par ce masque, il risque cependant de s'attirer le vide intérieur qui, même s'il est entouré de gens, l'entretient dans un sentiment de solitude. Attiré par la vie mondaine et sociale, l'homme qui mise sur un masque de superficialité est guetté de très près par l'activisme étourdissant, la consommation abusive d'alcool ou de drogues, ce qui peut l'entraîner à fuir encore plus son monde intérieur. Cet homme est à la recherche continuelle de feux d'artifice, de relations multiples certes mais très peu profondes et très peu nourrissantes sur le plan affectif.

> *Je place le masque du superficiel dans la catégorie anti-émotivité parce que la personne qui le revêt méprise et fuit l'émotivité. Et surtout, elle ne la laisse jamais transparaître, ce qui serait à ses yeux un signe d'abaissement.*

Ce qui m'a souvent frappé et touché chez les hommes qui portent ce masque, c'est leur désarroi et leur détresse lorsqu'ils souffrent. S'étant toujours tenus loin de leur monde intérieur par mépris, il s'ensuit qu'ils ne savent pas comment prendre soin d'eux à ce moment. Ce monde étranger teinté de honte les ébranle souvent au point de fuir et de s'entretenir dans diverses formes de dépendance ou de désirer mourir. C'est dans leur éducation qu'on peut souvent trouver la source du malaise.

CAS VÉCU

Ross et l'investissement dans les « superfluités »

Ross vient d'un milieu ou il n'y avait pas de place pour les sentiments et les émotions. La seule émotion qui avait une place, mais quand même retenue jusqu'à éclatement, c'était l'agressivité. La sensibilité était exprimée à travers la beauté des arts, la satisfaction d'une bouffe raffinée et la collection de plusieurs objets tels que disques, bouteilles de vin et plantes exotiques. Dans son milieu, il n'y avait pas de place pour la « faiblesse », et aborder le sujet des émotions vulnérables déclenchait aussitôt le jugement. Comme conséquence, la communication était quasi inexistante sauf pour échanger sur le repas, sur une bouteille de vin dernièrement acquise ou sur la beauté de tel ou tel film tout en marchant avec fierté dans le jardin entretenu minutieusement. C'est après plusieurs années d'isolement, de manque de communication, d'affection et d'échanges à saveur émotive lors de son adolescence (il se réfugiait alors dans ses « bébelles », comme son père et sa mère le faisaient chacun de leur côté) que Ross accepta ce mode de vie et finit par y adhérer complètement à l'âge adulte. Ce qui fait que, lorsque tout va bien, il est d'une compagnie plus qu'agréable mais, dans le cas contraire, il devient comme un chêne fier au milieu de la tempête et il résistera jusqu'à ce qu'il casse. C'est ainsi que, lors d'une conversation où il démontrait beaucoup d'agressivité et de sentiment d'injustice et de révolte face à la vie pour cacher ses vraies émotions (insécurité financière, peur, dévalorisation, impuissance à changer son problème, inquiétude et peine de ne pas réussir professionnellement tel que souhaité), il me confirma que, si ça allait trop mal à son goût, ce serait probablement sans en parler qu'il finirait dans un accident de voiture ou qu'il se suiciderait à l'aide de son fusil de calibre 12. Comme plusieurs hommes, Ross n'a pas appris à transiger avec ses peines et ses souffrances, lesquelles n'ont aucune chance de s'apaiser sinon par le partage, ce qui deviendrait beaucoup trop humiliant à ses yeux. Je n'ai vu Ross vulnérable qu'une fois bien arrosé d'alcool. Il m'est à ce moment-là plus difficile d'être sensible à lui, mais ce n'est pas parce que je ne ressens rien face à ses difficultés; c'est parce que lui-même refuse sa sensibilité, lui fait la lutte jusqu'à ce qu'elle déborde et referme le couvercle aussitôt. C'est pourquoi, comme chez plusieurs hommes, sa sensibilité et ses peines se transforment en agressivité lorsque le vase déborde. ■

Pour l'homme qui revêt ce masque, le manque de contact avec sa vie intérieure se résume socialement à entretenir des relations dénuées de profondeur. Malgré ses jugements sur sa sensibilité et la honte de ses émotions, il aurait avantage à développer l'acceptation, le ressenti et l'expression de ses émotions d'une façon honnête et plus transparente. Sa vie affective pourrait alors devenir plus significative, être orientée vers la satisfaction réelle de ses besoins affectifs, et il pourrait vivre des relations plus profondes, plus engageantes. Il en viendrait à développer l'humilité, qui est le contraire de son orgueil et qui va dans le sens de la simplicité des émotions, des peurs, de la vulnérabilité, de la sensibilité, de l'amour et des besoins. L'ouverture honnête sur son mode émotif le ferait passer du superficiel à l'essentiel.

Jeter de la poudre aux yeux pour démontrer une réussite et une supériorité matérielles en investissant d'une façon déséquilibrée dans son extérieur ou dans le monde matériel est justement le contraire du comportement de celui qui porte le masque du mystérieux sage; en effet, ce dernier tente de démontrer sa maturité par une supériorité de l'évolution de son monde intérieur, de sa spiritualité.

2.2 Le masque du mystérieux sage

Ce type de masque est un mélange du masque du doux et de celui du supérieur en ce sens qu'il est celui d'un homme qui présente souvent l'image d'être plus évolué, d'être doté d'une grande sagesse et d'une exquise douceur. Cependant, en tant que mécanisme de défense qui sert souvent à cacher un sentiment d'infériorité très pénible, cette image est appuyée sur une spiritualité peu incarnée, c'est-à-dire de surface, non intégrée, pas réellement exprimée à partir de ce qui est vraiment ressenti. Sans en être totalement conscient, le porteur de ce masque voudra enseigner ses connaissances aux autres, en répétant comme des vérités des phrases toutes faites, entendues ailleurs ou lues, en omettant de dire que, même pour lui, cela demeure humainement difficile à appliquer. Ce masque a comme objectif de démontrer la supériorité de l'esprit qu'il a acquise, de prouver qu'il est arrivé là où l'on doit se rendre; la personne tente ainsi de se placer au-dessus des autres et du monde matériel. Son discours peut à ce moment être appuyé par le fait que sa supériorité l'amène à être proche d'êtres spirituels et peut-être même de l'Être suprême, Dieu, ce qui lui conférera alors des pouvoirs venus du monde de l'invisible. Il démontrera son masque par une attitude de sagesse, représentée par le silence de celui qui sait ou savait. Il prendra à son compte des paroles philosophiques souvent belles, mais peu branchées sur sa réalité. Il est souvent difficile à suivre dans son discours, car ses paroles sont habituellement coupées de sa sensibilité. Derrière cette image vit souvent un homme inconscient de son complexe d'infériorité et qui n'admet pas son grand besoin d'être reconnu et valorisé; il le niera plutôt.

Le mystérieux sage méprise aussi les émotions, qu'il juge comme un manque d'évolution et un abaissement. Devant les émotions des autres, il émettra des jugements camouflés par une philosophie moraliste et contraignante. En

> *niant ses propres émotions, il s'im-*
> *patientera lorsque le monde exté-*
> *rieur les lui déclenchera, ce qui pro-*
> *voquera chez lui une réaction*
> *émotive, et ce, malgré ses aspira-*
> *tions d'inaccessible.*

Pour appuyer son image, il accorde souvent peu d'importance à son physique ou aux biens matériels, sauf pour démontrer extérieurement ses qualités spirituelles ou une fausse simplicité. De toute façon, il n'est pas censé être concerné par cet aspect de la personnalité car, l'apparence étant liée au matériel, elle est aussi un signe de préoccupation avilissante si on y montre de l'intérêt. Cet homme au masque d'élévation spirituelle provient souvent d'un milieu modeste duquel il a eu honte, d'où il veut s'élever et dans lequel il a souffert de se sentir inférieur. Il relie l'identité masculine à la supériorité de l'esprit. Quant à l'émotion, elle est proscrite. Cependant, lorsqu'il perd le contrôle sur l'extérieur, c'est-à-dire sur ceux qui l'entourent et qui n'agissent pas selon ses croyances, ou lorsqu'il est affecté par des blessures psychiques tels la honte, l'abandon, la culpabilité et l'infériorité, il peut être sujet à de profondes déprimes ou à des accès de colère versant dans la violence verbale, psychologique ou physique. Ce qui est dangereux avec les hommes qui portent ce type de masque, c'est qu'ils peuvent être enclins à prendre du pouvoir sur les autres en croyant et en affirmant avoir des dons de voyance, de guérison par le toucher ou de thérapie spirituelle pouvant conduire à la paix intérieure puisqu'ils prétendent être en contact avec le divin ou une force invisible. Je n'ai rien contre ces dons, sauf s'ils servent à prendre du pouvoir sur les autres pour diriger, se valoriser ou manipuler; bref, pour abuser des autres. Les hommes qui revêtent ce masque sont enclins aussi à refouler dans l'inconscient leurs pulsions sexuelles et agressives, ainsi que leurs émotions, ce qui peut les amener à des réactions excessives et incontrôlées. Je pense à certains gourous qui furent dénoncés pour des abus sexuels et de la violence envers leurs disciples, pour des problèmes d'alcool ou de toxicomanie, ou encore pour leur abus de pouvoir. Le refoulé cherchera toujours à revenir à la surface.

CAS VÉCU

ROGATIEN LE SAGE

Le premier exemple qui me vient à l'esprit est celui de Rogatien, qui ne verse pas dans ces cas extrêmes mais qui représente bien et d'une façon plus courante le masque du mystérieux sage. Il s'agit d'un homme modeste, marié et père de deux enfants. Il participait à un groupe de psycho-thérapie pour l'aider face à ses réactions de violence en milieu conjugal et familial. Rogatien était toujours silencieux, affichait un sourire qui trahissait une fausse plénitude. Il tentait de démontrer par ses paroles et son attitude que rien ne l'atteignait, qu'il était plus évolué, que tout lui coulait dessus sans l'atteindre intérieurement comme coule la pluie sur le dos d'un canard. Ce ne fut jamais clair pour nous, et pour lui non plus d'ailleurs, ce qui l'avait amené là. Avait-il eu vraiment des agissements violents ? Était-ce uniquement sa conjointe qui se faisait des idées en le per-cevant comme tel ? Lui, comment se percevait-il ? À l'en-tendre, il se pliait à cette démarche d'humilité pour dé-montrer à sa conjointe sa bonne volonté. Cependant, ce qui était clair, c'est que quelque chose menaçait cette pseudo paix intérieure : la peur de perdre sa vie de famille et sa maison puisque sa femme l'avait menacé de divorcer si ça ne changeait pas. En fait, après plusieurs rencontres, nous avons constaté à quel point Rogatien était un homme contrôleur qui méprisait et moralisait de façon plus ou moins subtile ceux et celles qui n'adhéraient pas à ses croyances. C'est ainsi que, suivant le phénomène d'accumulation de frustrations, parce que ses intimes n'agissaient pas en fonction de ses volontés, il en venait à les violenter psychologiquement et physiquement. Rogatien n'a pas complété toute sa démarche, et je n'ai jamais pu connaître ce qui l'avait amené à développer ce masque. J'ai surtout été confronté à sa fermeture d'esprit et à son attitude de supériorité, ce qui rendait les autres participants (et moi-même) moins sensibles à lui, ce qui n'était pas le cas pour Alex.   ■

CAS VÉCU

ALEX ET LA HONTE

C'est aussi ce type de masque qu'avait développé Alex pour cacher la honte de ses racines. En parlant avec lui, je m'aperçus à quel point il valorisait la tolérance, la compréhension et la sagesse. Il me racontait son cheminement sur un ton doux et posé, démontrant bien les apprentissages qu'il en avait fait et comment il voulait que les autres en tirent profit. Jusqu'ici, malgré ce masque qui cachait sa souffrance de honte et d'infériorité, je n'étais pas mal à l'aise avec lui; au contraire, je ressentais à son égard de la tendresse et de l'affection. Cependant, il fit un jour des confidences au groupe d'hommes que j'animais, ainsi qu'à moi-même, et je vis fondre ce masque de sagesse pour laisser transparaître la honte et l'infériorité qui émanaient de son histoire de vie; ce fut très touchant. Ayant moi-même expérimenté cette fausse sagesse qui est celle de laisser couler l'eau sur son dos tel un canard, et ce, pour diminuer la souffrance causée par des insultes durant une enfance pauvre, je compris et je devins encore plus ouvert et plus sensible à cet artifice. Alex provenait d'un petit village où chaque famille riche prenait en charge un enfant pauvre pour le nourrir et l'habiller. Tout le village le savait, car ce n'était pas fait discrètement; c'était annoncé à l'église dans le but de valoriser et de remercier la famille riche de son bon geste. Cependant, on ne s'inquiétait guère de l'impact qu'avait une telle divulgation sur la famille pauvre et sur l'enfant ainsi dévalorisé devant tous. Cela eut comme conséquence d'étiqueter les enfants pauvres, dont Alex faisait partie. Suivirent des insultes et des moqueries à l'école; Alex, très honteux et très humilié par ces insultes répétées, contenait sa rage. Sa façon de se défendre de cette souffrance fut de se masquer de sagesse et d'indifférence comme le lui proposait sa mère, impuissante à changer la situation mais consciente de son rôle maternel protecteur. Peut-être était-ce la meilleure solution à ce moment-là, qui sait ? À la longue, Alex perdit le contact avec ses malaises et, du même coup, sa capacité d'affirmation. Il allait chercher sa valorisation dans cette attitude de sagesse et d'indifférence. Durant l'atelier que j'animais, je fus témoin de la perte de son affirmation par le refoulement de son agressivité et de sa rage. Alex fut très dérangé par le fait que je ne donnais pas de feuilles théoriques au cours de l'atelier, mais n'osa pas me l'exprimer directement. Au contraire, il fit comme s'il comprenait avec philosophie en reconnaissant le bien-fondé de mon choix. En vérité, cela ne coulait pas très bien et il le faisait voir; il était grandement dérangé et frustré de son plaisir de lire les notes après un atelier. C'est pourquoi, vers la fin de la journée, je l'entendis reprocher rapidement et à voix basse que j'étais avare de mes informations, que je voulais tout garder pour moi. Le lendemain matin, j'étais encore mal à l'aise de sa fausse interprétation; je lui en fis la remarque. Il fut troublé de me confier qu'effectivement cela l'avait contrarié. Il avait voulu, au début, rationaliser sa réaction pour garder son personnage d'homme tolérant et compréhensif, ce qui n'était pas toujours le cas. Enfin, il a déclaré ouvertement qu'il était dérangé du fait de ne pas avoir de notes, que cela lui manquait. J'étais à l'aise avec l'expression directe de son besoin et sensible à sa demande. C'est pourquoi, au cours de la pause, j'ai fait quelques photocopies de mes notes. En même temps, ce fut pour cet homme, masqué derrière le mystérieux sage, l'occasion de se donner le droit d'affirmer son dérangement et son besoin sans pour autant m'accuser et me juger. Il récupéra sa capacité d'affirmation en satisfaisant son besoin malgré son malaise. ■

> *Ce mécanisme de défense consistant à nous convaincre que nous ne sommes pas dérangés émotionnellement nous place au-dessus de nos émotions, de notre réalité émotive, ce qui se traduit souvent par une attitude de supériorité.*

2.3 Le masque du supérieur

L'homme qui fuit derrière le masque du supérieur est probablement un enfant qui a été élevé dans un milieu où la raison et la rationalisation étaient survalorisées au détriment du ressenti et des émotions. Combiné à cela, il a fort probablement été exposé à un milieu où l'on méprisait les gens émotifs et les jugeait comme inférieurs, et où on jugeait de la même façon les gens dépourvus des caractéristiques propres à la famille et importantes pour elle. On se valorisait par la comparaison ou en se reconnaissant ces valeurs et on se pensait supérieur aux autres. De telles valeurs touchent autant les richesses matérielles que la réussite académique, politique ou d'affaires, ou encore les adresses physiques ou rationnelles, la vitesse, la plus belle voiture, etc. La supériorité n'est pas un état réel, car il n'y a personne de supérieur aux autres en ce qui concerne la valeur. Dans cette évaluation, on mêle caractéristiques et personnes : plus rapide, plus fort, plus riche, mais pas une meilleure personne. Cette supériorité est plutôt une attitude de mépris des autres que l'on enseigne à partir de caractéristiques évaluant la valeur. C'est pourquoi derrière cette attitude de supériorité se cachent souvent des expériences souffrantes de honte et d'humiliation. L'homme qui porte ce masque tente de se soustraire à ces souffrances en s'enorgueillissant de posséder une ou plusieurs des caractéristiques servant à s'élever au-dessus de la masse, au-dessus de la honte et de la frayeur de se sentir inférieur. Souvent ce masque dévalorisant l'émotivité cache une souffrance qui prend sa source dans la relation au père : une grande peur d'être vu comme n'étant pas à la hauteur et d'être rejeté avec mépris. Il est souvent important pour l'homme au masque de supériorité de plaire à son père.

Malheureusement, cette attitude de supériorité ouvre la porte à une méchanceté qui, d'une part, blesse profondément ceux qui entourent le porteur de ce masque et, d'autre part, sert souvent à « remettre les autres à leur place », à les rabaisser pour mieux s'élever.

> **L'enfant éduqué ainsi a développé d'une façon particulière la peur de s'humilier en exposant ses émotions et son monde affectif.**

C'est pourquoi le tenant de ce masque se présente habituellement avec une attitude froide, distante, hautaine, et s'exprime en montrant une image supérieure valorisant les qualités rationnelles, toujours en contrôle et en confiance; il tente de se présenter comme un modèle de perfection. Comme on peut le lire dans le livre *Relation d'aide et amour de soi* de Colette Portelance, « Le rationnel aura tendance à se supérioriser, à juger les émotions et les gens émotifs. » C'est aussi pourquoi il aura le réflexe de vouloir résoudre rationnellement ce qui sera d'ordre émotif, et ce, avec une teinte de mépris plus ou moins subtile. Il risquera alors de se maintenir dans des difficultés relationnelles importantes, seul dans sa tour d'ivoire, avec une impuissance continuelle devant ses difficultés.

CAS VÉCU

RÉSOUDRE RATIONNELLEMENT UNE DIFFICULTÉ D'ORDRE ÉMOTIF

Louis se présente à moi en se demandant s'il doit laisser sa conjointe. Plutôt que de tenir compte de ce qu'il ressent, il calcule les plus et les moins, et conclut : « Je la laisse ou je continue ? » Ce qui fait que, de façon répétitive, il vient me voir avec sa feuille évaluant les plus et les moins dans sa relation et ne comprend pas pourquoi il n'arrive pas à laisser sa conjointe. Il se méprise par la suite de ne pouvoir arriver à suivre ce que sa logique lui dicte. L'ennui, c'est qu'il essaie de résoudre avec sa raison un problème qui est de l'ordre de l'émotion. ■

L'homme qui a développé le masque du supérieur se défend de sa sensibilité en la jugeant avec mépris et analyse d'un air hautain ceux qui extériorisent leurs émotions : il les prend pour des êtres dépourvus de maturité. C'est une personne fondamentalement seule qui, cependant, voit sa solitude comme une marque de noblesse, de maturité, et s'y entretient en protégeant avec pudeur son territoire émotif par son mépris. Pas de familiarité avec le roi. Quant à son corps, il lui porte avec fierté une attention particulière qui reflète son statut. La compétition est habituellement son seul mode de relation : un gagnant et un perdant, un supérieur et un inférieur, un dominé et un dominant. À son avis, la colère et la culpabilité n'ont aucune prise sur lui car, comme toutes les émotions, la perte de contrôle reflète la faiblesse. Il n'a donc pas à les ressentir. Si toutefois ça lui arrive, il en rejette la responsabilité sur les autres. C'est tellement humiliant à ses yeux de s'être montré émotif qu'il imputera aux autres sa perte de contrôle; celle-ci est peut-être due à leurs « imperfections » ou à leur « immaturité ». Il refuse d'admettre sa sensibilité.

CAS VÉCU

FRANCIS ET LA SUPÉRIORITÉ

Lorsque j'évoque ce masque, je pense à Francis. C'est un homme qui se croyait doté d'une intelligence supérieure. Il était persuadé qu'il se démarquait des autres. Certain d'être le très beau gars qui plaisait à toutes, il avait parfois cet air stoïque et supérieur, impassible et sûr de tout connaître, de tout savoir. Il n'extériorisait en aucun moment ce qu'il vivait et ressentait. Le côtoyant de plus près un jour, je vis à quel point c'était un gars qui se sentait seul et incompris, qui souffrait d'une grande insécurité d'être en tout temps rejeté et de ne pas être aimé. Il cachait sa sensibilité et son émotivité par crainte d'être jugé faible et de perdre l'estime des gens. Finalement, il présentait cette supériorité pour se protéger de la souffrance du rejet. Il avait besoin de relations mais n'arrivait pas à s'en créer, puisqu'il s'attirait le jugement, le rejet et la solitude. Il avait une grande pudeur à parler honnêtement de son vécu et de ses émotions, ce qui le maintenait dans son personnage. ■

La principale préoccupation du supérieur, à travers son contrôle émotif, c'est de démontrer sa supériorité et sa perfection grâce à son intelligence exceptionnelle. Ce qui n'est pas toujours le cas pour le rationnel, qui cherche plutôt à démontrer sa maturité et sa sagesse par son contrôle émotif.

2.4 Le masque du rationnel

Ce masque est souvent adopté par l'enfant qui a possiblement été le témoin visuel ou auditif du côté sombre des émotions (crises traumatisantes, dépressions, etc.), ce qui a renforcé les messages entendus affirmant qu'être émotif c'est être malade. Il a fort possiblement grandi dans un milieu où le contrôle émotif et la rationalisation froide devant l'émotivité étaient valorisés en tant qu'indices de maturité.

> *L'homme qui arbore le masque de rationalité a développé d'une façon plus particulière la peur de ses émotions, d'être malade, d'avoir des problèmes, de perdre le contrôle et de perdre sa maturité, ce qui bloquera le processus naturel de ses émotions.*

C'est pourquoi il se présente souvent avec une approche et une attitude rationnelles; il se montre imperturbable, calme et toujours en contrôle de ses émotions. C'est aussi pourquoi il sera très démuni devant ses difficultés émotives et relationnelles, et qu'il aura tendance à vouloir les résoudre avec sa raison. Ce qui risque encore une fois de le maintenir dans des troubles relationnels importants, dans une grande solitude et une impuissance continuelle devant ses difficultés. **Par contre, à la différence du supérieur,** le rationnel ne cherche pas nécessairement à s'élever au-dessus des autres, car il est souvent fortement en contact avec son sentiment d'infériorité. Il cherche plutôt à demeurer en contrôle de ses émotions pour démontrer sa maturité et fuir le magma angoissant de ses émotions.

C'est toujours par ses qualités intellectuelles que l'individu caché derrière le masque du rationnel se démarque. Pour lui aussi, l'émotion est à dominer et à contrôler. Sa masculinité est associée au fait qu'il n'a pas d'émotions car, selon son éducation, celles-ci sont liées à la féminité. Dire simplement « je t'aime » devient quasiment impossible. Il redoute de laisser paraître son émotivité, ce qui serait une humiliation pour lui. Il présente une apparence souvent très soignée; il est parfois un peu maniaque à ce sujet tout en demeurant souvent simple, contrairement au supérieur.

> *En masquant son émotivité, il juge ceux qui sont émotifs comme immatures, ce qui est faux. C'est un préjugé en désaccord avec la réalité. La preuve étant que la maturation s'effectue par des transitions émotives suivant une évolution similaire à celle du deuil, qui se traverse par des étapes où l'émotion joue un grand rôle; et une évolution similaire au processus de maturation de l'adolescent qui se défait de l'image idéalisée de ses parents pour trouver sa propre identité : déception, colère et peine. C'est pourquoi le rationnel s'entretient lui-même dans une immaturité émotive, contrairement à ce qu'il souhaite.*

C'est un homme défensif par moments, qui entretient sa solitude par des discours inaccessibles, par des monologues au lieu de dialogues. Il porte aussi habituellement très peu d'intérêt à son corps, s'occupant à peine de le mettre en valeur ou de se tenir en forme car son identité d'homme n'y est pas reliée. Il se néglige à moins d'avoir lu quelque part, dans une revue sérieuse, l'importance de s'entraîner et de prendre soin de son corps. Il réagit habituellement devant les difficultés relationnelles par la réflexion et une analyse souvent culpabilisante de l'autre et de la situation, et ce, même s'il soutient ne pas juger. Cela tient au fait qu'il n'exprime pas ce qu'il ressent, car il est très peu conscient qu'il éprouve lui aussi de la culpabilité, de la colère et d'autres émotions, à part le sentiment de bien-être auquel il risque de s'accrocher défensivement pour ne pas se sentir perturbé au point de perdre le contrôle. Il est convaincu que ses émotions n'ont aucune prise sur lui; il n'a pas à les ressentir et, lorsque cela lui arrive, il en fera porter la responsabilité sur les autres ou sur les événements. Il risque alors de se défendre par des paroles en apparence très sages telles que : « Nous ne sommes pas en harmonie, tu perds trop souvent ton contrôle, tu es trop instable », insinuant que c'est à cause de l'autre. Il suggère subtilement que c'est l'autre qui a quelque chose qui ne va pas et il devient alors incapable d'entendre cette personne. Une relation de pouvoir entre eux et l'éloignement risquent de s'installer s'il refuse de se responsabiliser face à sa propre sensibilité.

CAS VÉCU

LA VALEUR DE L'INTELLIGENCE SELON ROGER

Mon père prêchait beaucoup la valeur de la raison tout en jugeant l'émotivité comme un manque de maturité et une faiblesse. Il faisait montre d'une grande intolérance pour nos envolées émotives ou nos folies irréfléchies. Cela pouvait l'amener à ridiculiser ce que nous faisions et à nous discréditer, comme ce fut le cas le jour où il me confia, en croyant sûrement me rassurer, qu'à cause de son émotivité ma mère était une personne faible; c'est pourquoi elle était hospitalisée. De par cette croyance, mon père avait des réactions de jugement envers son entourage, mais aussi envers lui-même. Malgré son bon vouloir afin de demeurer raisonné, logique et mature, il vivait des malaises et des émotions à nous voir nous parler, nous amuser et être complices, pendant que lui vivait une grande solitude derrière son masque. Il refoulait son insatisfaction et sa peine de se sentir ainsi mis à part. Il se sentait rejeté et déprécié. Une ou deux fois par année, de façon régulière, il piquait une terrible crise de colère pour décharger toutes les émotions qui continuaient à bouillonner en lui. On assistait alors, contrairement à tout ce qu'il prêchait, à « un coup d'État des émotions », comme le dit Daniel Goleman dans son livre intitulé *L'Intelligence émotionnelle*. Les émotions prenaient le contrôle en même temps que mon père le perdait. Il vivait, le temps de cette décharge, la polarité émotive qu'il rejetait tant. Il n'y avait alors plus rien de raisonné. ■

> *Pour l'homme aux prises avec la non-acceptation de sa sensibilité et le refus de la manifestation de ses émotions, le pas à franchir vers l'ouverture de soi et de son émotivité est souvent un pas de géant en raison de l'humilité que cela lui demande.*

Pourtant, c'est la voie à suivre pour les hommes qui portent à la moindre occasion des masques de rationalité et qui souhaitent plus de satisfaction et des relations affectives mieux réussies dans leur vie. Par exemple, **après cette crise de décharge de l'homme dur, renfermé, indifférent et froid qu'il affichait, mon père devenait chaleureux et ouvert pour les quelques jours suivants, du moins le temps que la culpabilité disparaisse**, que des malaises émotifs s'accumulent de nouveau et que revienne le contrôle rationnel. Dans son cas, en tant qu'être survalorisant la raison, accepter sa culpabilité aurait pu l'aider à redéfinir ses relations d'une façon plus humaine en partant de sa polarité émotive. Malheureusement, plutôt que de se laisser attendrir, il cherchait à se défaire de sa culpabilité jusqu'à ne plus la ressentir et se durcir à nouveau. Il perdait, en reprenant son attitude froide, distante et impassible, la possibilité de répondre à ses besoins d'amour, de relations, d'affection, d'écoute, de valorisation et d'importance, besoins qui le faisaient énormément souffrir derrière son masque.

> *Pour conclure, les hommes qui se cachent sous les masques d'anti-émotivité doivent apprendre à récupérer toute la gamme de leurs émotions, à laisser refluer la vie en eux et à réaliser que leur réaction est le résultat inconscient de leurs émotions et de la peur de celles-ci. Être émotif n'est pas humiliant, mais humain.*

Ils doivent effectuer ce travail de récupération face à leurs émotions autant de tendresse que d'agressivité, quoique cette dernière soit pour eux un peu plus acceptable. Sinon ils contrôleront continuellement leur monde extérieur et intérieur, ce qui les amènera vers un durcissement et les entretiendra dans une grande solitude. Ce même durcissement, accompagné d'une grande agressivité plutôt que de froideur, crée les masques de dureté dont nous parlerons maintenant.

3. LES MASQUES DE DURETÉ

Cette catégorie de personnages défensifs se caractérise par le fait que les hommes qui les affichent ressentent très peu leur culpabilité ou ne la ressentent pas du tout. Aussitôt qu'elle se pointe en eux, ils s'en défendent. Associez cette capacité au fait de se couper de sa culpabilité, de s'accepter ainsi, et à une grande propension à l'agressivité et vous obtenez les masques de dureté. Il en ressort souvent des comportements antisociaux à risque élevé de violence et d'agressions de toutes sortes, allant des blagues sarcastiques et maladroites jusqu'aux coups et blessures physiques, en passant par des paroles blessantes. Les attitudes antisociales tiennent de la domination, de l'agression de toutes sortes, de la méfiance injustifiée et de la paranoïa, et se concrétisent en accusations, en irresponsabilité des actes et en souffrances sans fin. **Dotés d'un imaginaire négatif, les hommes qui portent les masques de dureté se font croire que les autres sont contre eux, qu'ils sont victimes de tous et chacun, ce qu'ils retournent contre les autres par des agressions diverses.** Ils sont convaincus d'être des moutons noirs et agissent ainsi, sûrs que personne ne les aime ou qu'ils sont moins aimés qu'ils ne le méritent. Ils sont inconscients que leur « victimite » active et justifie leur violence, qui est liée à leur besoin d'amour. Leur sensibilité à la peur de ne pas être aimé et apprécié exerce une grande emprise sur eux. Venant souvent d'un monde de violence, leur estime d'eux-mêmes est blessée; ils ont donc une sensibilité à fleur de peau qu'ils s'enorgueillissent de cacher. C'est pourquoi ils se sentent facilement persécutés de façon injuste, défavorisés et moins appréciés par les gens de leur entourage. Ils se tournent vers la violence et la non-réceptivité en pensant se protéger de la souffrance de leurs blessures d'enfance. Ce fonctionnement, qui prend diverses formes d'agressions, risque de les couper inexorablement de la possibilité de répondre à leurs besoins de relation affective et d'amour. Pour être certains de ne pas souffrir d'un manque dans leurs besoins affectifs et relationnels, ils s'en coupent en se convainquant qu'ils n'ont besoin de personne ou en essayant d'en convaincre leur entourage. Ce qui est faux. Ils sont le plus souvent des codépendants parce qu'ils s'allient à des dépendants ou favorisent la dépendance de l'autre. Ils s'assurent ainsi qu'ils ne seront pas confrontés à leurs manques affectifs, à la solitude et à l'obligation de s'ouvrir sur leurs sentiments de vulnérabilité, qui leur sont inacceptables. Ils ne veulent pas aller à l'encontre de leur orgueil par peur de se sentir trop vulnérables.

> *Le sentiment de ne pas être respectés, considérés ou acceptés peut amener les hommes qui portent ces masques à des réactions violentes, autant psychologiquement que verbalement et physiquement.*

Selon eux, ils agressent en « prévention ». Venant principalement d'un milieu violent et insécurisant à cause de leur agressivité, ils conçoivent facilement qu'on puisse les agresser et pensent qu'il vaut mieux mordre avant de l'être. Et cela, par peur constante d'être violentés. Cette peur les amène malheureusement à perdre de vue la réalité qu'ils ne sont pas agressés par l'entourage. Pour les hommes arborant les trois derniers masques, il est très difficile de condescendre à des gestes honnêtes d'humilité et d'aveu. Par exemple, s'excuser auprès de quelqu'un de l'avoir blessé et lui avouer qu'ils ont été maladroits, lui dire par exemple « Je vois que ça t'a blessé, ce n'était pas mon intention et je m'en excuse. » Rien que d'entendre cette phrase, ils se sentiront mal à l'aise, la jugeront comme une parole de « tapette » et de faible, comme quelque chose d'humiliant à dire. Ils redoutent d'être eux-mêmes jugés ainsi. La peur ! Que dis-je, l'angoisse, la hantise, la terreur qui pourraient les amener à se sentir diminués du fait de ne pas être respectés, cette perspective leur apparaît intolérable.

J'ai souvent pu observer physiquement chez les hommes aux masques de virilité, de dureté, des maux de dos chroniques en vieillissant car, peu en contact avec leurs limites corporelles et soucieux de conserver l'image de leur virilité, ils ont tendance à forcer et à dépasser leurs limites. J'ai en tête l'exemple de ce camionneur que j'ai reçu en consultation et qui se voyait dans l'obligation de changer de métier à 40 ans, comme plusieurs hommes que j'ai rencontrés dans mes ateliers de groupe.

L'origine de ce type de masque semble des plus anciennes, des plus solidement ancrées, faisant souvent référence à l'animal, à un homme préhistorique dominateur et guerrier qui se perd dans la nuit des temps et qui se perpétue à travers un jeu viril, violent, de comparaison et de compétition entre les hommes. À l'origine, c'était une question de survie, de protection de territoire, ce qui conférait un statut privilégié dans le groupe. Dans ce type de masque, l'agressivité est au premier plan et la peur de ne pas être respecté, de se sentir humilié en est la préoccupation majeure. La non-acceptation de la sensibilité et de l'état de vulnérabilité complète sa structure défensive. J'identifierai trois masques dans cette catégorie : l'infaillible, l'insensible et le dur.

3.1 Le masque de l'infaillible

Ce type de masque aurait pu facilement être classé dans la catégorie des anti-émotifs en ce qui a trait à la recherche de la supériorité et au fait que le porteur ne soit pas nécessairement aux prises avec des attitudes antisociales, comme c'est le cas pour les deux autres porteurs des masques de dureté, sauf qu'il en a la tendance si l'on met en doute sa valeur, sa supériorité ou ses idées. Cependant, je le place sans hésitation dans cette catégorie, parce que cet homme ne cherche pas nécessairement à cacher ses émotions reliées à l'agressivité. Il ne les voit pas comme des pertes de contrôle, mais plutôt comme des façons de prendre le contrôle sur l'extérieur. Tous les moyens sont bons pour « sauver la face ». Le tenant de ce masque survalorise l'affirmation agressive comme moyen de faire face aux difficultés; il néglige ainsi les solutions de négociation, car elles sont pour lui des signes de faiblesse. C'est ainsi que, par manque d'humilité, il démontre sa supériorité et sa virilité.

> *Le porteur du masque de l'infaillible est un homme qui n'est jamais pris en défaut ou de court et qui entretient des relations où il aime, où il peut, tel un père « bienveillant », prendre les autres en charge sans écouter leurs besoins réels.*

Il prend les gens en charge, au détriment de leur liberté et dans un but inavoué de valorisation et de sécurité affective, en espérant sans le dire ouvertement que ces personnes lui en seront redevables.

Même si ce n'est pas toujours sensé et logique, il cherchera à avoir réponse à tout. Il a de la difficulté à s'accepter comme un humain ordinaire, avec des limites. C'est habituellement un homme en manque d'estime de lui-même, qui vient d'un milieu agressif dans lequel il était peu reconnu et où la barre à atteindre pour faire sa marque était inaccessible. En ce sens, tout ce qu'il aurait pu faire n'aurait jamais été satisfaisant. Il y avait toujours une petite erreur, un léger manque qui était remarqué et lui était souligné. Ou il était bêtement dévalorisé, continuellement ridiculisé et violenté, ce qui portait atteinte à son estime de lui-même. C'est par ce masque qu'il cherche continuellement à cacher aux autres et à lui-même son complexe d'infériorité, ses doutes sur sa personne, ses manques de confiance, ses peurs et ses besoins d'aide. Lorsqu'il se sent vulnérable, il a tendance à se victimiser de façon agressive en culpabilisant les autres de ses difficultés. Il est trop orgueilleux pour voir sa responsabilité, pour assumer sa sensibilité, sa vulnérabilité et ses besoins. Une faible estime de soi crée souvent cet orgueil, qui ne cède à aucune pression.

CAS VÉCU

LA COMPÉTITION COMME L'ULTIME PREUVE DE VIRILITÉ

Lorsque je décris ce masque, je pense toujours à Noël. C'était un jeune de 16 ans, du Centre de réadaptation pour délinquants où j'étais éducateur. Il était là pour vol et comportements violents. Comme plusieurs jeunes de ce lieu privilégié de la virilité, il consommait beaucoup de drogues fortes et d'alcool, ce qui est souvent une autre façon de geler la vulnérabilité. Dès le départ, malgré le fait qu'il ait été nouveau venu au milieu de ce groupe qui comprenait plusieurs anciens bénéficiaires, il prit beaucoup de place, était toujours au courant de quelque chose de mieux, de plus... Il pratiquait ainsi une forme de compétition pour se valoriser. Il était très gentil avec nous au début, plutôt envahissant mais coopératif. Il le fut tant et aussi longtemps que l'on répondit à ses exigences et qu'on reconnut ainsi sa valeur. Lorsque nous n'y répondions plus ou que nous mettions en doute ses qualités, ou encore s'il perdait au jeu, tout devenait alors motif à compétition. Son attitude montrait que la situation frisait une question de vie ou de mort et la compétition lui permettait sans doute de retrouver sa valeur. C'est alors qu'il devenait un vrai despote. Il faisait tout pour nous empoisonner l'existence, comme si cet objectif devenait le centre de sa vie. Il se faisait violent verbalement et physiquement. Lorsque blessé, il avait un esprit de vengeance très développé. De façon compulsive, il fallait qu'il se rehausse par tous les moyens. Il prenait trop la place des autres et n'arrivait pas à prendre celle qui lui revenait sans empiéter sur les voisins. Il était très orgueilleux et risquait de faire aux autres ce qu'il avait peur qu'on lui fît pour être certain de demeurer en haut de l'échelle de la virilité.   ■

Pour Noël et pour les hommes qui arborent un masque d'assurance continuelle, toutes les émotions reliées à la vulnérabilité sont refoulées et non acceptées. Il leur est impossible de les exprimer dans une relation. Un sentiment d'humiliation s'empare d'eux et ils déclarent alors une guerre de mots ou d'actes violents à saveur de compétition, et ce, dans le but de retrouver leur illusoire fierté masculine. Voici les émotions qui créent la vulnérabilité : la peine, les peurs et l'expression d'une incapacité ou d'un besoin. Ces hommes, potentiellement violents, recherchent la domination pour se valoriser. L'homme derrière le masque du dur, contrairement au tenant du masque de l'insensible, accepte l'échange et la communication tant qu'il a ce qu'il veut et que sa virilité n'est pas mise en doute.

3.2 Le masque de l'insensible

Ce masque, qui symbolise la résistance, se caractérise surtout par un regard sévère, un silence lourd et très significatif. Il est un mélange du dur et du supérieur. Le porteur de ce masque provient habituellement d'un milieu où toute communication était fermée.

> *Contrairement au dur, qui démontre sa virilité par sa grosse voix et son agressivité, l'insensible démontre sa supériorité par son silence, son insensibilité à la douleur et son souci de gagner le respect par l'intimidation.*

CAS VÉCU

NE M'APPROCHE PAS !

J'ai l'image fraîche à la mémoire d'un ancien copain d'enfance que j'ai revu dans un bar une quinzaine d'années plus tard. Il était assis, seul contre le mur, les bras croisés, et regardait devant lui sans broncher, le visage vidé de toute expression. Bien que l'on fût à l'intérieur, il portait des verres fumés, ce qui ajoutait à son personnage d'inébranlable. Sur le moment, je ne l'ai pas reconnu, puis après un deuxième regard je voulus m'avancer vers lui pour le saluer. Je remarquai alors qu'il faisait partie d'un groupe de motards : il avait des tatouages, portait une veste de cuir à manches coupées avec des insignes, et surtout il affichait une attitude intimidante. J'appréhendai d'être rabroué avec mépris; je ressentais une peur de la confrontation et de la violence. Je me reculai et retournai à ma place. Ce fut vraiment frappant de constater qu'il n'eut même pas à me dire quoi que ce soit. Le message était clair : je le captais comme une menace. Si je l'approchais, il y aurait risque de rejet ou d'affrontement. ■

L'homme qui arbore le masque de l'insensible démontre qu'il est tellement fort qu'on ne peut l'atteindre. En maintenant son masque il peut devenir vindicatif car, privé de l'expression de ses blessures, de ses malaises et de sa sensibilité, il utilisera l'agression verbale, et surtout physique, pour rappeler à celui qui a mis en doute son insensibilité, et par extension sa virilité, qu'il n'a qu'à se tenir loin de lui ou à demeurer respectueux et bien à sa place. Cet homme veut toujours signifier qu'il n'a besoin de personne et qu'il saura toujours se débrouiller seul devant ses difficultés. C'est une forme d'orgueil qui camoufle une grande blessure d'humiliation et la phobie de ne pas être respecté et aimé.

L'insensible a aussi une terreur du ridicule qui découle de sa blessure d'humiliation; il fuit cette peur en cherchant continuellement à cacher qu'il peut être sensible, émotif, ou qu'il peut avoir besoin des autres. Ce qui l'entraîne souvent vers une consommation de drogues fortes, comme le démontre bien Alice Miller dans son livre *C'est pour ton bien* ou *Les racines de la violence*, en parlant de la fuite de l'émotivité et de la sensibilité chez les dépendants de drogues telles que la cocaïne, le crac et l'héroïne. L'homme qui revêt ce masque s'attend à ce qu'on le respecte et le serve sans qu'il ait à demander quoi que ce soit. C'est aussi probablement un

ex-enfant qui a souffert de l'insécurité et de l'humiliation liées à la violence et qui cherche à éviter à nouveau
cette souffrance.

CAS VÉCU

L'INSENSIBILITÉ DANS LE MILIEU CRIMINEL

Comme exemple de l'insensible, je pense à cet ex-détenu
et criminel violent, Roger Caron, auteur du livre *Matricule
9033*, qui, durant son séjour en prison, gardait le silence
pour chercher à se protéger; il ne parla pas pendant plus
d'une année. Il s'entraînait plutôt aux poids et haltères pour
parfaire son image. Il relate plusieurs histoires d'affronte-
ments au cours desquels, malgré sa réputation, sa violence
et ses bravades, il était mort de peur. Mais il ne fallait surtout pas que ça paraisse.   ■

Ce cas peut sembler extrême, mais l'on reconnaît cette
dynamique d'intimidation et de silence à une échelle moins
élevée dans les relations quotidiennes, lors de conflits entre conjoints, confrères de travail, ou même entre parents
et enfants, par la bouderie et les regards sévères tenant
lieu de mots et d'avertissements.

> *L'homme simulant l'insensibilité
> est susceptible de violence, même
> extrême; c'est son moyen de se faire
> respecter, se faire entendre et com-
> muniquer. Sa violence est propor-
> tionnelle à ses blessures d'humilia-
> tion. Dans le silence, il les accumule
> et c'est alors qu'il risque d'explo-
> ser. Peu d'actes, mais beaucoup
> d'impact.*

L'homme qui porte le masque de l'insensible confirme son identité lorsqu'il veut dominer et, pour y parvenir, il rejette de lui toutes les émotions qui peuvent le faire voir sous un jour vulnérable, telles que la culpabilité, la peine et le doute, et ne partage en aucun temps ses besoins ou ses peurs. Il ne respecte pas ses limites, car il est trop préoccupé d'obtenir la crainte ou le respect des autres. Comme je le disais au début, il réussit à s'entretenir dans ce masque et dans sa violence : il se coupe de sa culpabilité, ce qui le rend insensible à la souffrance et au vécu des autres, et il se victimise, c'est-à-dire qu'il rend les autres responsables de ses difficultés et de ses souffrances, ce qui lui donne encore plus le droit d'agresser. J'ai pu observer ce phénomène d'une façon encore plus particulière lorsque j'étais intervenant en violence conjugale. J'ai alors pris conscience que les hommes les plus violents étaient ceux qui réussissaient à se convaincre qu'en fait c'étaient eux les victimes : « Si elle ne m'avait pas cherché, je ne l'aurais pas frappée. » Ce qui justifiait leur droit de se défendre et les coupait en même temps de leur culpabilité. C'est également ainsi qu'agissent les hommes qui portent le masque du dur.

3.3 Le masque du dur

Ce type de masque est souvent choisi par l'enfant qui a été humilié à des degrés divers, plus particulièrement dans sa sensibilité et dans ses peurs. Il vivait probablement dans un milieu dur où l'agressivité et l'affirmation étaient très valorisées, et les messages pour régler les conflits devaient ressembler à ceci : « Voyons donc ! T'es pas une tapette, maudite mémère, vas-y ! Laisse-toé pas faire, casses-y la gueule si y faut ! » C'est peut-être ainsi que son père l'avait encouragé à s'endurcir. Il est maintenant valorisé lorsqu'il est agressif, dur et violent.

> *À force de conditionnement, il en vient à ne plus ressentir les émotions qui le rendaient vulnérable. L'agressivité risque de devenir son unique émotion pour exprimer toute la gamme de celles qu'il fuit, comme la peur, la culpabilité, la peine, l'inquiétude et la joie, ainsi que pour verbaliser ses besoins, ses insécurités, ses manques ou ses limites.*

Lors d'une perte importante, il réagira d'une façon agressive; lors d'une grande joie, il se conduira comme les sportifs qui se frappent et hurlent de rage après un toucher ou un but. C'était probablement aussi un enfant de qui on avait ri lorsque, tout petit, il déclarait ne pas aimer les scènes de violence. Par peur d'être humilié, ridiculisé, violenté et de perdre son identité, l'homme au personnage de dur se coupera de sa sensibilité jusqu'à ne plus la ressentir. Il risquera alors de devenir un agresseur à un niveau très dangereux, niveau qui ira en augmentant car l'orgueil de virilité est très gourmand. C'est un élément de la personnalité qui demande sans cesse de nouvelles preuves de force, de puissance et de supériorité par l'agressivité, la violence, la compétition et la domination.

L'homme qui porte le masque du dur se caractérise par les preuves constantes qu'il veut donner sur sa nature violente, affirmative, dominatrice, agressive ou impitoyable, autant par ses actes que par ses paroles. C'est pourquoi il sera continuellement en rivalité avec quiconque présentera ces mêmes caractéristiques.

CAS VÉCU

Entre vrais hommes on se confronte !

Cela me fait penser à Sylvain, que j'ai rencontré lors d'une semaine de voyage. Sylvain est un gars pour qui l'agressivité, la force et la bataille sont des valeurs importantes, et il entre dans le jeu lorsqu'il est en présence d'une personne pouvant raviver cet esprit de compétition et ce besoin de prouver qu'il a ces qualités. Il était assis à la salle à manger lorsque je me suis présenté en tenue de sport pour aller courir. Ayant un physique sportif, Sylvain perdit aussitôt de vue le reste du groupe, s'approcha de moi et me demanda : « Fais-tu du sport, toi ? » Lorsque je lui répondis que j'avais joué au football pendant plusieurs années et que maintenant je faisais du karaté, son regard changea. Il devint surexcité et se mit à me parler de boxe, de karaté, me racontant ses exploits et ses connaissances en la matière, tout en me passant les pieds et les poings à deux pouces du visage. Je me sentis menacé, ayant moi-même le profil de ce masque; je dus prendre un recul intérieur pour ne pas entrer dans la valse du plus dur et pour éviter ainsi l'escalade. Je l'écoutai et le valorisai tout en exprimant ce qui me menaçait. Il recula et se calma un peu, sans pour autant cesser de me parler de ses connaissances et habiletés. Lorsque je le regardais, je ressentais de la tristesse : il était comme un miroir. Je me revoyais tout petit et j'imaginais l'enfance terrorisée de cet homme, ce qui le rendit très sympathique à mes yeux, sans que j'accepte pour autant les gestes qui me menaçaient. Durant la fin de semaine, je me tins assez proche de lui et nous parlâmes beaucoup. Il me raconta son passé de dureté, d'humiliation, d'abandon et de violence. Il me fit part aussi qu'il était devenu encore plus violent depuis le jour où il avait été battu par un gars à l'âge de 20 ans. La peur et l'humiliation avaient été si grandes et si intolérables qu'il s'était alors mis à se bourrer de drogues et à s'entraîner aux sports de combat. Il se valorisait dans ce sens et narguait sans cesse les autres pour se convaincre qu'il n'avait plus peur et que jamais plus on ne le terroriserait. À la fin des trois jours, à la suite de toutes les confidences réciproques, je pus passer avec lui d'une relation de compétition à une relation de complicité. J'étais très proche de lui. Par exemple, nous allions courir ensemble, nous allions voir un film et partagions par la suite sur ce qu'il nous avait fait vivre comme émotions. Je garde depuis ce jour un souvenir chaleureux de cet homme aux prises avec un masque de dureté qu'il avait accepté d'enlever devant moi. ■

Contrairement à l'insensible, ce n'est pas avec son silence que le dur cherche à intimider et à répondre à son besoin d'être respecté et valorisé. Il est prêt à se battre ou à se lancer dans des conflits intenses pour démontrer sa virilité. Il peut en résulter une violence qui ira en augmentant, selon la réponse de l'extérieur, s'il a affaire à quelqu'un qui porte le même masque que lui. On peut penser ici aux petites guerres, par exemple à celui qui pisse le plus loin, comme aux grands conflits, par exemple lorsqu'on entendit le président américain, en parlant de Saddam Hussein devant une foule surexcitée, pour s'assurer de sa réélection : « On ne se laissera pas faire, on va leur montrer que l'on doit respecter le peuple américain. » Et ce fut la guerre. Aujourd'hui, chaque fois que je vois cette attitude à grande échelle tel Hitler haranguant les foules ou que je pense à Sylvain, je ressens de la crainte. Le risque de violence est là, le risque de répondre à la provocation par l'attaque est présent.

L'homme qui revêt ce masque provient habituellement d'un milieu où celui qui démontrait le plus de puissance était le héros, le modèle à suivre : le père qui s'affirmait haut et fort, le grand frère qui se battait régulièrement ou l'oncle qui avait fait de la prison. On peut remarquer dans son discours un intérêt marqué pour l'excitation et la valorisation de la violence, et pour ceux qui posent ces gestes tels les héros sportifs et les fomentateurs de bataille. Il ira peut-être un jour jusqu'à tuer pour que plus jamais on ne mette en doute sa virilité, comme le démontrent la valorisation, le statut, le respect et la crainte dont profitent les meurtriers dans le milieu carcéral. Il a au fond de lui une grande peur, une frayeur de ne pas être vu comme assez dur, ce qui l'amène à faire aux autres ce qu'il a peur qu'on lui fasse. Pour cela, il a tendance à prendre plaisir à humilier son entourage.

Lorsque je travaillais au Centre de réadaptation pour délinquants juvéniles, il était frappant de constater la surenchère d'histoires de bagarres, de conquêtes de femmes, de délits ou de consommation de drogues et d'alcool qui allaient dans ce sens. Cette surenchère se pratiquait de la part des jeunes, mais aussi de la part de plusieurs éducateurs, et ce, dans un but souvent inconscient de se valoriser en tant que vrai homme, vrai dur, et de s'assurer ainsi plus de respect. Malheureusement, un tel comportement nourrissait les masques de dureté et contribuait à maintenir une atmosphère d'insécurité, d'agressivité, de compétition et de violence. Une surenchère à laquelle, malgré mes malaises et mes croyances, il m'arrivait aussi de participer. Bien que le rôle des éducateurs soit de ne pas encourager ce schème, ils en sont quelquefois complices par leur langage et des interventions basées sur des relations de pouvoir qui misent souvent sur la loi du plus fort. Il y a en cela une réalité à laquelle j'adhère : pour être attiré par ce genre de travail et s'y sentir à l'aise, il faut avoir une bonne dose de dureté en soi. Les policiers, les militaires, les éducateurs et plusieurs autres personnes qui ont à intervenir dans des milieux violents ont souvent des prédispositions à porter les masques de dureté et à en valoriser les caractéristiques. Malheureusement, on rencontre souvent des rôles de pouvoir dans notre société, rôles qui maintiennent les valeurs de virilité au premier plan. Ce n'est pas en se le cachant que l'on va changer quelque chose, mais plutôt en développant la conscience et en arrivant, tout comme l'a fait Sylvain, à refuser de jouer au jeu de la virilité par la dureté.

CAS VÉCU

Lorsque le meurtre devient la preuve ultime de la virilité

Dans un cas extrême, cela me fait penser particulièrement à Antoine. Ce jeune du Centre était issu d'une famille très dure, où la violence était synonyme de valorisation et de virilité. Son père avait été un criminel endurci, son oncle et son frère aîné aussi. Lorsque Antoine eut terminé sa sentence, tous s'entendaient pour dire qu'un jour pas trop éloigné il pourrait aller jusqu'à tuer, car en plus de sa dynamique de violence il parlait comme d'un modèle de fierté de son frère aîné, qui venait à peine d'entrer en prison pour meurtre. Antoine avait toujours été préoccupé par une compétition de virilité avec son frère. À peine quelques mois après sa libération, nous apprenions qu'Antoine venait d'avoir une sentence de prison pour tentative de meurtre. Il est important de réaliser que plus on valorise la dureté, plus on risque de vivre des relations dures, conflictuelles, basées sur la confrontation, ce qui amène des situations blessantes et entraîne la solitude et la paranoïa. ■

Les émotions cachées et intouchables qui se tiennent derrière ce masque sont tout ce qui porte atteinte à la vulnérabilité et à la sensibilité, c'est-à-dire la peur et la peine.

Il est alors impossible d'être responsable de ses besoins affectifs réels que sont l'amour, la reconnaissance, l'écoute et la valorisation, ainsi que de ses blessures qui, selon son expérience, attirent l'humiliation et la violence.

CONCLUSIONS SUR LES TROIS CATÉGORIES

Revenons brièvement sur les trois catégories de masques. La première, **l'anti-virilité**, amène les hommes à cacher toutes les émotions reliées à la virilité telles que l'agressivité, et ce, pour éviter de ressentir la culpabilité avec laquelle ils sont facilement en contact et qui peut souvent les amener vers une pulsion de mort. La deuxième catégorie, **l'anti-émotivité**, est reliée au refoulement de toute émotivité, synonyme d'immaturité, de faiblesse et de féminité. La rationalité y est survalorisée et les hommes qui font partie de cette catégorie sont très peu conscients de quelque émotion que ce soit. La troisième, **la dureté**, survalorise l'agressivité et amène les hommes à ne plus percevoir leur violence. Ceux qui font partie de cette catégorie s'efforcent avec brio de ne jamais ressentir de culpabilité et luttent contre toutes les émotions qui peuvent les rendre vulnérables. Leur identité passe par cette dureté.

> *Rien ne sert de se cacher la réalité pour éviter les conséquences engendrées par un masque. La libération du masque passe par la conscience et la dénonciation, qui deviennent en même temps un exercice d'humilité. Cette qualité fait souvent défaut chez les hommes qui portent des masques de virilité, tels les durs et les anti-émotifs.*

EXERCICE DE RÉFLEXION

Pour vous aider à vous soustraire à l'une ou l'autre de ces catégories de masques, j'ai créé un exercice que je vous encourage à essayer. Je vous propose de commencer par vous centrer sur vous-même, ce qui favorise l'introspection. Prenez-vous du papier et de quoi écrire ou répondez directement dans votre livre. Assoyez-vous confortablement et fermez les yeux. Commencez par prendre trois respirations très amples en faisant entrer l'air autant par la bouche que par les narines et envoyez-le au niveau du ventre. Après ces trois respirations, continuez avec une quinzaine de respirations normales, tout en portant votre attention sur l'air qui entre et qui ressort, ce qui vous aidera à vous laisser moins distraire par toutes sortes de pensées extérieures. Ensuite, lentement, ouvrez les yeux et commencez à répondre aux questions suivantes.

a) **Qui étaient particulièrement vos héros d'enfance ou vos modèles favoris ?** (Papa, maman, grand frère, oncle, Batman, un sportif professionnel, le batailleur du coin, un intellectuel connu, un groupe, un chanteur, etc.)

_____

b) **Quelles valeurs incarnaient-ils ?** (Sagesse, intelligence, paix, humanisme, indépendance, agressivité, affirmation, supériorité, infaillibilité, etc.)

_____

_____

c) **Quelles étaient les valeurs que vous aimiez particulièrement chez eux ?**

_____

_____

d) **Quelles valeurs avez-vous tenté de reproduire, mais qui ne vous correspondaient pas toujours ?**

_____

_____

e) **De quelle façon vous y preniez-vous ou vous y prenez-vous aujourd'hui encore pour démontrer ces attitudes ?** (Redressement des épaules, nez en l'air, mimiques faciales, voix et intonation, changements dans les sujets de conversation pour correspondre le mieux au masque choisi, etc.)

_____

_____

_____

_____

f) **En contrepartie, qu'est-ce que vous craignez le plus de montrer de vous aux autres ? Quels comportements, quelles attitudes ou quelles émotions tentez-vous de vous cacher à vous-même et aux autres pour correspondre justement à l'image de ces héros ?** (Doutes, manque d'assurance, peurs, peines, souffrances, limites, besoins, etc.) **Et pourquoi ?**

_____

_____

_____

g) **À quel masque cela correspond-il ?**

_____

Voici un exemple à partir d'un de mes héros d'enfance que je retrouvais dans une bande dessinée. C'était un cowboy solitaire du genre Lucky Luke, mais plus réaliste.

a) **Nom** : Rawide Kid.

b) **Valeurs incarnées :** solitude, grande indépendance, sagesse, absence d'émotions, héros sauveur de la veuve et de l'orphelin, incompréhension (il fuit la justice à la suite d'une erreur judiciaire), honnêteté, idéalisme, générosité, pacifique défenseur mais capacité d'une grande violence en cas de provocation.

c) **Valeurs préférées :** insensibilité à la douleur et violence (« justifier et justicier »).

d) **Valeurs répétées :** insensibilité et courage du justicier.

e) **Façon employée pour répéter ces valeurs :** lorsque j'étais enfant, et ce, jusqu'à l'adolescence, j'avais le réflexe de défendre mes amies, les filles en général et qui que ce soit par une violence extrême, pour me valoriser et me faire aimer.

f) **Attitudes ou émotions cachées :** mes peurs, mon insécurité et ma nervosité, pour éviter de ressentir de l'abaissement.

g) **Masque correspondant :** l'insensibile particulièrement, ce qui peut m'amener dans certaines occasions à faire le dur.

Vous pouvez faire l'exercice avec chacun de vos héros pris séparément tels que votre oncle, James Bond ou Maurice Richard, pour réaliser à quel point certaines qualités vous sont chères au point de faire comme si vous les possédiez dans certaines situations, même si ce n'est pas le cas.

Pour faire suite à cet exercice et pour aller plus loin, je vais vous proposer d'approfondir à l'aide de questions un exemple concret (le plus récent possible) d'un moment où vous avez porté le masque identifié ci-haut en vous servant du schéma suivant. Commencez par identifier un moment où vous avez eu le sentiment d'avoir caché vos émotions réelles. Prenez un exemple, même si vous n'êtes pas sûr que vous portiez un masque. Répondez maintenant aux questions suivantes.

a) **Quel fut l'élément déclencheur extérieur qui vous a amené à mettre un masque ?** (Commentaires, regard, présence, etc.)

_____

_____

_____

_____

b) **Quelle fut l'émotion que vous avez ressentie à ce moment ?** (Peur, peine, honte, joie, excitation, humiliation, culpabilité, impuissance, incapacité, insécurité, doutes, etc.)

_____

c) **De quoi avez-vous eu peur en ressentant cette émotion ?** (De paraître ridicule ou d'être ridiculisé, de donner du pouvoir aux autres, d'être dominé, violenté, battu, agressé, rejeté, de vous sentir coupable, de vous abaisser, de perdre la face, etc.)

_____

_____

d) **Quelles furent votre ou vos réactions défensives pour cacher cette émotion que vous n'acceptiez pas de vous ?** (Négation, rationalisation, agressivité défensive, etc.)

_____

_____

_____

e) **Quelle image (masque) avez-vous alors tenté de présenter aux autres ?**

_____

f) **Quel fut le résultat (les conséquences) pour vous-même et pour la relation ?** (Vous êtes resté mal à l'aise, gêné, honteux, blessé, avec du ressentiment, avec un sentiment de solitude, avec de la peur, etc. La relation s'est coupée; il y a eu une réaction blessante de la part de l'autre; vous vous êtes senti coupable, rejeté, abandonné.)

_____

_____

_____

_____

_____

Êtes vous conscient que c'est la honte, la peur d'être ridicule, d'être humilié, de donner du pouvoir à l'autre ou de perdre la face qui vous a empêché d'accepter cette partie sensible de vous et d'être non défensif, d'être ouvert et en relation avec vous-même et avec l'extérieur ? Qu'est-ce que vous avez honte de montrer de vous et pourquoi ? D'où cette honte vous vient-elle ? Et désigneriez-vous ce malaise autrement que par l'appellation honte ? Si oui, comment ?

_____

_____

_____

_____

_____

Par la suite, remarquez à quel point cela se répète ailleurs dans votre vie; à quel point cette honte de votre sensibilité, de votre vulnérabilité ou de votre peur de donner du pouvoir aux autres vous amène à vous défendre et à possiblement saboter votre paix intérieure et vos relations.

Suivant ces réflexions, je vous encourage à faire cet aveu à une personne importante, ou à la personne devant qui vous avez porté votre masque. Peut-être ne pourra-t-elle pas vous écouter tout de suite mais, en choisissant le temps propice à une rencontre intime, vous vous assurerez d'une meilleure écoute et d'une plus grande chance de satisfaction relationnelle. C'est pourquoi je vous encourage à lui en faire clairement la demande. Vous aurez aussi à accepter le fait qu'il y aura fort probablement une réaction ou un commentaire de sa part, ce qui vous amènera justement à mettre en pratique une communication sans masque en disant ce que sa réaction vous fait vivre. Il est primordial que vous soyez d'abord très vigilant avec vous-même, et ce, pour ne pas perdre de vue que l'objectif de ce partage n'est pas de vous justifier ou de démontrer à l'autre comment il s'y prend pour vous blesser. Le danger serait alors d'insister sur le fait que l'autre vous a fait mal, ce qui pourrait à nouveau vous amener à porter un masque plutôt que de mettre en pratique une communication franche. Vous tomberiez alors dans un piège qui envenimerait la situation et qui ne vous apporterait qu'un bien-être superficiel en déchargeant subtilement votre culpabilité sur l'autre. L'objectif de cet exercice d'humilité est de vous confronter à vous-même en vous dénonçant à l'autre pour faire fondre le masque qui empêche la relation d'être nourrissante entre vous et les autres. Faites-le pour vous-même, pour vous libérer de l'emprise qu'a votre masque sur vous. L'objectif parallèle à cela est pour vous de développer l'humilité nécessaire pour vivre avec le moins de masques possible, et ce, en faisant vos propres expériences pour vous assurer que vous n'allez pas mourir si vous enlevez votre masque. Je peux vous assurer que, malgré la peur et l'impression de vous abaisser, vous verrez qu'en fait cela vous apportera une plus grande satisfaction par la nourriture affective que vous en récolterez. Par la suite, faites attention de ne pas répéter le même scénario du masque à d'autres moments et expérimentez une façon d'agir qui soit pour vous la plus satisfaisante possible. Dans cette démarche de changement, je vous encourage à vous donner le droit à l'erreur en tenant compte que cette évolution se fait à travers un processus d'essais et d'erreurs, dans le but de raffiner votre capacité d'humilité et de vous démasquer le plus possible, de vous créer sans cesse une vie plus authentique. Faites-le pour l'avancement à long terme de votre liberté et de votre bien-être. J'ai l'image, s'étalant du début de mes démarches à aujourd'hui, de nombreuses relations au cours desquelles je n'ai pas enlevé mon masque en ne disant pas ce que je vivais. Je ressens encore à quel point ça m'a laissé vide, sur la défensive et loin de l'autre. Les gens incapables de vivre les conflits m'ont alors rejeté et les gens capables de le faire en ont été blessés. Dans un cas comme dans l'autre, j'ai souffert d'une grande culpabilité. J'aime cependant me souvenir des fois ou, plutôt que de me refermer, plutôt que de me défendre, plutôt que d'accuser et de nier, je me suis montré cohérent avec ce que je ressentais. J'apprécie voir que ces situations se répètent de plus en plus. Lorsque j'y repense, j'en ressens encore le même bien-être, une grande sensation de liberté avec moi-même et un rapprochement important avec l'autre, bien que cela ne vienne pas nécessairement au moment de l'événement.

Comme le dit Colette Portelance, la vie peut devenir un arracheur de masques par les souffrances que nous rencontrons sur notre route. Chaque deuil d'un rêve perdu, d'un projet avorté, d'un être cher envolé nous amène vers le besoin de soigner notre cœur et, pour y arriver, il nous faudra enlever nos masques d'orgueil.

Je vous encourage fortement à ne pas attendre que la vie se charge de vous enlever vos masques, mais de commencer dès maintenant à le faire de vous-même pour que les expériences douloureuses soient encore moins périlleuses et que votre vie reprenne un sens plus humain en correspondant vraiment à vos besoins affectifs réels.

Pour vous aider à aller plus loin dans votre démasquage, je vous propose de connaître les racines de vos masques et la façon dont ils se mettent en place, et ce, par la lecture des trois prochains chapitres, qui traitent des racines du masque et de son conditionnement social chez l'homme. Nous débuterons donc le chapitre suivant par l'étude des origines de la confusion de l'identité, confusion qui plus tard se structure et se cristallise pour former les nombreux masques de l'homme.

DEUXIÈME PARTIE

POURQUOI LES HOMMES CACHENT-ILS LEURS ÉMOTIONS ?

Chapitre 2

LA CONFUSION DE L'IDENTITÉ

L'identité de l'individu représente tout ce qu'il est : ses besoins affectifs, ses limites, ses peurs, sa sensibilité, ses joies, ses peines, ses désirs, ses aspirations, ses ambitions, etc., et qu'il retrouvera à travers son émotivité. Plus il est en contact avec ses émotions — de polarité féminine autant que masculine — et plus son identité sera forte. Malheureusement, ce n'est pas le cas de la majorité des hommes de notre société qui, dès leur jeune âge, en sont venus à croire que la majeure partie de leur émotivité, c'est-à-dire toutes les émotions sauf la colère, n'avait pas de place chez un vrai homme. Ainsi s'amputent-ils de leur ressenti, de l'émetteur de leur identité profonde, pour ensuite survaloriser tout ce qui touche leur identité masculine atrophiée, c'est-à-dire une affirmation souvent défensive. D'une façon inconsciente, ils tenteront de substituer en eux les émotions et les attitudes dites féminines (émotivité, peine, intensité, spontanéité, sensibilité au bien-être des autres, peur, joie, inquiétude, etc.) par des attitudes plus masculines (stoïcisme, analyse et assurance apportées par l'affirmation, l'agressivité, etc.). C'est ainsi que, très jeunes, une certaine confusion se créera au niveau de leur identité réelle, ce qui renforcera la mise en place des masques. Cacher l'émotion réellement ressentie par une attitude autre ou une fausse émotion plus acceptable les éloignera d'eux-mêmes, et leur fera oublier qui ils sont vraiment. La capacité chez plusieurs hommes de parler haut et fort, de s'occuper de leurs plaisirs et de leurs ambitions, ne dévoile en rien leur identité réelle, humaine et globale, ce qu'on peut constater par le malaise souvent ressenti chez les hommes face à l'intimité, état obtenu par le partage de l'affectivité, de l'émotion et de la sensibilité. On remarque également qu'ils éprouvent de la difficulté à prendre soin d'eux à travers leurs besoins affectifs, qui sont en lien direct avec leur sensibilité. S'affirmer haut et fort est bien plus une question de virilité que d'identité. S'affirmer dans ses désirs, ses ambitions et contre tout ce qui peut menacer son territoire est une attitude masculine essentielle, qui demeurera toutefois incomplète sans la capacité d'affirmation du féminin. L'identité réelle passe de plus par la responsabilisation et l'affirmation des peurs, des peines, des limites et des besoins affectifs d'amour, de sécurité, de valorisation et d'écoute.

L'importance de l'image chez l'homme, l'intérêt qu'il y porte et l'investissement souvent inconscient à se bâtir un masque sont en lien direct avec la fuite et la non-acceptation de son identité. Le masque puise sa force dans cette non-acceptation. Plus l'identité est confuse, plus les masques sont profondément et solidement ancrés, et plus la résistance à les retirer sera grande. Ce que j'entends par une identité confuse, ou affaiblie, c'est une difficulté chez l'individu à accueillir tout ce qu'il ressent, et conséquemment à savoir qui il est vraiment et ce qu'il veut ou ne veut pas. Cette connaissance de lui-même, comme je l'ai mentionné précédemment, est en lien avec ses limites, ses besoins affectifs et ses zones de sensibilité. Son identité réelle, il la retrouvera à travers l'écoute et le respect de ce qu'il éprouve. C'est une connaissance de soi qui passe plus par le ressenti que par le savoir. Savoir et dire qu'on a besoin d'amour par exemple, c'est bien différent que de ressentir ce besoin.

Maintenant que nous avons vu ce qui crée la confusion et la faiblesse de l'identité chez l'homme, voyons d'une façon encore plus approfondie ce qu'est l'identité elle-même. Selon le *Petit Robert*, l'**identité** est le « caractère de ce qui demeure **identique à soi-même** ». Identique, fidèle à ce qui se passe à l'intérieur de soi et non en conformité à ce que demande l'extérieur de soi (les autres ou les règles établies). Le dictionnaire formule aussi l'expression : « sans nulle confusion ». Attardons-nous quelque peu à cette expression. Ce qui crée la confusion et qui empêche une personne d'être ce qu'elle est vraiment plutôt que ce qu'elle voudrait être, c'est justement la discordance entre ce qu'elle ressent et ce qu'elle démontre, ce qui l'amène souvent à se conformer à l'extérieur. Elle projette alors une image d'elle-même qu'elle trouve plus acceptable. Les deux principales raisons qui poussent la personne à vivre cette discordance, que j'appelle la non-congruence, sont les suivantes : soit que la personne cherche à cacher ce qu'elle ressent par peur d'être jugée, soit qu'elle ignore ce qu'elle éprouve à cause d'une perte de contact avec son ressenti et son identité réelle, ce qui est souvent le cas chez plusieurs hommes à force de conditionnement.

EXEMPLE

CHARLES

— « Que vis-tu en ce moment, Charles ? Comment te sens-tu ? »

— « Hum... je ne sais pas ! Je ne vis rien, je suis correct, je suis toujours correct et bien. »

Charles est ici coupé de ses émotions. Je ne dis pas qu'il ment; je dis que ce qu'il exprime à ce moment n'est pas basé sur son ressenti. Ce n'est pas l'expression directe de ce qu'il éprouve vraiment, c'est une expression basée sur une insensibilité, sur une coupure émotive. En ce sens, Charles risque de perdre de vue sa réalité intérieure (malaise, dérangement, joie, peine, insécurité, besoin, etc.) et ainsi d'être inapte à percevoir celle des autres : « Je suis correct, et tous les gens autour de moi aussi sont corrects : enfants, conjointe, confrères et consœurs... » Comment, par exemple, peut-il être capable de voir et d'entendre la peine des autres s'il n'est pas conscient de la sienne ? Cela devient très difficile, voire impossible. Lorsque les autres se confient à lui, Charles est très surpris d'entendre qu'ils ne vont pas si bien que ça. Peu sensible à ce qu'il éprouve, masquant son identité profonde par une froideur apparente, se coupant de ses émotions, il ne peut être réceptif à ce que vivent les autres. Il a beau feindre de l'être, il ne le peut vraiment, ce qui crée au départ une difficulté relationnelle.

EXEMPLE

LE CHOIX D'UN FILM

Une autre manifestation de l'affaiblissement de l'identité pourrait se présenter de la façon suivante. Un couple arrive devant un cinéma où l'on présente plusieurs films. L'un des conjoints demande à l'autre quel film il aimerait voir. L'autre, plutôt que de prendre le temps de se demander quel film lui plaît le plus, l'attire davantage, éveille son goût, répond : « Comme toi ! Ça ne me dérange pas... À ton goût... » Sans vouloir inciter à une guerre de pouvoir à savoir qui gagnera, j'encourage chacun à définir son ressenti devant un choix pour, au moins, être en mesure de se connaître et de mieux affirmer ses préférences, lesquelles font partie de son identité. Dans notre exemple, ce n'est pas le choix final du film qui devient important, c'est plutôt le droit de faire valoir sa différence à travers ses goûts. Après l'expression du choix de chacun, le « perdant » doit amorcer une négociation avec lui-même, revenir en lui et se demander : « Est-ce correct pour moi d'aller voir le film que l'autre a choisi ? Quelles concessions suis-je prêt à faire sans me sentir trop mal à l'aise ? Jusqu'où suis-je prêt à aller tout en satisfaisant mes goûts ? Dans l'immédiat, est-il plus important pour moi de voir tel ou tel film ou bien d'être avec l'autre pour partager cette activité avec lui ? »

À force d'être coupés de leurs émotions, et ce, à partir de leur plus jeune âge, les hommes peuvent en venir à ressentir une confusion intérieure qui, au cours de leur vie, les amène à connaître de la difficulté à faire des choix, particulièrement dans le domaine de l'émotion, de l'affectivité et de l'intimité. Cette coupure de leur émotivité a pour but de préserver leur virilité et de correspondre le plus possible aux valeurs reçues lorsqu'ils étaient jeunes, mais ils perdent ainsi la clarté de leur identité par le biais de leur ressenti.

> *Les garçons ont appris tôt à se couper de ce qu'ils éprouvent de sensible et de vulnérable : pour être un vrai « gars », il faut être « tough », dur, rationnel ou insensible. Les hommes perdent alors le contact avec leur monde intérieur.*

On dit aujourd'hui que les hommes communiquent davantage. En fait, ils expriment plus leurs frustrations qu'ils n'expriment l'insécurité et les peines dissimulées derrière leur agressivité. Du temps de nos grands-parents et de nos pères, la virilité s'appuyait davantage sur le silence et le stoïcisme. Aujourd'hui, elle s'exprime par toute forme d'agressivité et d'affirmation, donnant ainsi l'illusion aux hommes eux-mêmes (et à certaines femmes) qu'ils s'expriment plus. En fait, ils ne font souvent qu'évacuer la rage contenue dans le silence de leurs pères et grands-pères et demeurent incapables de dire : « J'ai peur […] j'ai mal […] j'ai besoin […] ça m'a blessé […] peux-tu m'aider ? »

Devant ce manque de contact intime avec eux-mêmes, qui découle d'une interdiction de prétendue virilité et d'une insensibilité émotive, ils investiront leurs énergies dans l'extérieur, dans le paraître (paraître fort, indépendant, dur, affirmatif, intelligent), et non dans le respect de leurs véritables valeurs intérieures. Ils répéteront sans cesse ce qu'ils ont appris jusqu'à perdre le souvenir d'avoir déjà été émotifs, d'avoir éprouvé de la sensibilité, au point d'être incapables de vivre l'émotivité du moment présent. Combien de fois m'arrive-t-il de demander à un homme ce qu'il vit lorsqu'il se confie et de l'entendre me répondre « Rien ! » ou « Je ne sais pas. » Ou encore, il me donne intelligemment ce que l'on appelle « la bonne réponse », ce qu'il est convenable de dire à ce moment-là, mais qui ne représente pas son ressenti réel. Il devient confus lorsque je lui en fais la remarque; il se sent pris au dépourvu et incapable de trouver des réponses alternatives, car le contact avec son ressenti est obstrué par l'interdit masculin. L'émission de son identité est confuse. Combien de fois aussi ai-je entendu des hommes dire qu'ils n'étaient pas émotifs, que c'était une caractéristique féminine ! Pourtant, ces hommes ont déjà pleuré, ils ont déjà ressenti et exprimé leur peur, leur passion, leur motivation, etc. Que s'est-il passé ? Ils ont oublié... C'est alors que, dans ce réflexe de négation de leur sensibilité, l'enfant, l'adolescent et plus tard l'adulte feront souvent de façon inconsciente ce qu'ils croient que les autres attendent d'eux, ce qu'ils croient devoir faire pour plaire à papa, aux autres gars, ainsi qu'à maman et aux autres filles. Ils perdent ainsi leur sensibilité, leur émotivité et par la même occasion la sensation de leurs besoins affectifs, qui sont les sources du bonheur.

CAS VÉCU

PHILIPPE

Je prends pour exemple Philippe, qui a quitté la femme de sa vie pour pouvoir continuer à répondre aux exigences de son travail de cadre dans une multinationale. Comme il l'a toujours fait pour plaire à son père, il se montre plus dur et plus performant, plus rationnel et moins émotif qu'il ne l'est en réalité. Pour correspondre à son conditionnement masculin de réussite professionnelle, il a perdu contact avec les besoins affectifs qui auraient pu l'éloigner de ses ambitions et est devenu très confus quant à son engagement amoureux. Qu'adviendra-t-il par la suite de ses besoins non reconnus ? Ils referont surface d'une façon ou d'une autre. ■

> *Moins une personne est en mesure d'identifier ses goûts et de les différencier de ceux des autres, de les affirmer, plus elle entretient une faiblesse et une confusion sur son identité, et de la dépendance affective.*

Cette façon de remplacer le ressenti original par des attitudes apprises qui faussent l'authenticité peut s'étendre indéfiniment à toute une ligne de conduites chaque fois que l'on tente d'annihiler l'émotion. Ce besoin de plaire plus au monde extérieur, passé ou présent, en cachant sa sensibilité plutôt qu'en y restant fidèle s'incruste tellement dans sa personnalité que l'homme, tout au cours de sa vie, perd conscience de sa sensibilité profonde. Il est persuadé de rester fidèle à lui-même lorsque, par exemple, il s'isole ou agresse dans sa colère; il veut cacher sa peine et ses souffrances. En agissant de cette façon, il ne réalise pas que c'est le conditionnement à la masculinité qui l'amène à devenir confus et fermé quant à son besoin de support et d'amour. S'il était à l'écoute de ses souffrances, elles lui indiqueraient de s'ouvrir. Devenu trop orgueilleux sur sa vulnérabilité, trop fier de ses belles analyses ou de ses envolées agressives, il se cache; il ne sait plus comment répondre à ses besoins, comment prendre soin de lui et passer à travers les épreuves autrement que par le réflexe souvent défensif « problème = solution », ce qui l'incite plus à la fuite qu'à la résolution de ses difficultés.

CAS VÉCU

CLÉMENT S'ISOLE POUR MASQUER SA « FAIBLESSE »

Je pense ici à Clément qui, au lendemain de la perte de son emploi, a vécu une dépression, seul dans le silence et le noir de sa chambre. Il vivait ses souffrances caché, retiré, pour ne pas, croyait-il, inquiéter famille et amis; pour ne pas, en tant que vrai homme, croyait-il encore selon des apprentissages erronés, perdre le peu d'estime qui lui restait s'il montrait cette vulnérabilité non conforme à l'image du « vrai homme ». Cela eut comme conséquence de prolonger inutilement sa déprime, puisqu'il ne se donnait pas le droit d'aller chercher du soutien pour soulager sa souffrance. Conséquemment à son congédiement, Clément se sentait dévalorisé et sa souffrance devait être apaisée par la sécurité affective, la confiance et le support. Pour réussir dans cette démarche, il devait inévitablement sortir de son isolement afin de se confier et de recevoir l'acceptation et le support de son entourage, et par le fait même la reconnaissance de sa valeur à leurs yeux. Il devait donc, pour que cesse son supplice, surpasser la peur de se sentir diminué aux yeux des autres, et surtout à ses propres yeux. ■

Voilà une conséquence de la « virilité à tout prix » qui a possiblement conduit plusieurs hommes vers le suicide. C'est cette virilité qui hante les hommes particulièrement et qui les amène à devenir confus quant à leur identité, à leurs besoins et aux choix à faire pour leur bien-être. Cette confusion les affaiblit et les fragilise. Il vaut mieux souffrir en silence et s'isoler que de passer pour vulnérable. Il vaut mieux disparaître, mourir dignement, que de montrer sa « faiblesse ». Il est préférable de porter son masque de dureté et de rationalité jusqu'à la fin plutôt que de s'abaisser à l'enlever, ce qui ferait découvrir que sa vraie identité est aussi celle d'un homme sensible, émotif, qui a peur, d'un homme peut-être déçu de lui-même, de ses grands espoirs, d'un homme qui craint de décevoir les autres. Pour correspondre à ces nombreuses idées préconçues, souvent inconscientes, les hommes perdent la congruence entre leur monde intérieur et ce qu'ils démontrent extérieurement. Ils se conformeront alors à ce qui est véhiculé d'abord comme valeurs masculines dans leur entourage immédiat, ensuite comme valeurs de virilité dans la société et dans les médias. C'est encore ainsi qu'ils deviennent confus sur leur identité réelle et renforcent l'emprise des masques sur eux. Cet éloge de la virilité me ramène à une chanson de Dan Bigras disant à peu près ceci, « Si je serre les fesses plus fort que les poings, tue-moi ! Si les journées qui séparent

les fois où je te fais l'amour sont plus longues, tue-moi ! »
Cette chanson me donne des frissons chaque fois que je
l'entends, car si les journées qui séparent les fois ou je fais
l'amour à ma conjointe sont plus nombreuses, c'est qu'il y
a quelque chose qui ne va pas entre nous et que je ne le dis
pas. Si je serre les fesses plus fort que les poings, c'est que
j'ai peur; la peur est humaine et demande à être entendue
plutôt que de mener à une condamnation à mort. C'est
par des croyances semblables que l'homme s'endurcit, se
renferme, s'isole et se reproche d'être vulnérable, d'être
humain tout compte fait, car il se voit faible lorsqu'il a peur,
tombe, pleure, s'affaiblit, perd la confiance ou le désir. Cette
chanson me fait frissonner car elle me ramène aux limbes
de désespoir de mes années de dureté, d'isolement et de
violence, comme c'est souvent le cas pour plusieurs hommes au cœur endurci.

Je reviendrai souvent sur le principe de virilité en le
dénonçant, en donnant des exemples et en le démontrant,
car il est d'une importance primordiale. Dans notre société,
il s'agit d'un principe dominant qu'on arrive souvent à ne
pas voir chez soi mais seulement chez les autres, et ce, à
cause de la culpabilité, du « pas correct » dont il est l'objet.
Ce manque de reconnaissance de ses propres attitudes de
virilité entraîne de nombreux conflits qui dégénèrent en
accusations, en jugements, en déchirements et en relations
de pouvoir, ce qui est en fait la tragédie de ceux qui arborent des masques de virilité. On arrive facilement à reconnaître les hommes machos et orgueilleux, mais difficilement à voir ses propres comportements de machisme et
d'orgueil. Le travail se situe là : reconnaître ses propres
attitudes défensives de virilité. Faire montre dans sa vie
de comportements uniquement virils est un manque de
connaissance de soi, de ses besoins réels, et la conséquence
d'une identité confuse.

Reprenons notre propos sur la confusion et l'affaiblissement de l'identité par le manque de contact avec soi-même. L'introspection et l'écoute de soi sont souvent identifiées comme faisant partie de la féminité, donc dévalorisées par les hommes et évitées par eux. Éviter d'exprimer son vécu sera par conséquent une attitude valorisée par les hommes. Ce manque d'écoute de soi risque alors de les amener à confondre ce qu'ils sont et ce qu'ils font : « Je suis cultivateur. Je suis avocat. Je suis camionneur. Je suis machiniste. Je suis plombier. Je suis pêcheur. Je suis thérapeute. Je suis chômeur… » L'élaboration de l'identité de l'homme se résume alors à ce qu'il est plutôt qu'à ce qu'il fait. Il en résulte que sa valeur et son identité ne sont plus liées à ce qu'il est comme individu, à une sensation intérieure, mais à ce qu'il a comme rôle et tâche, ce qui représente un affaiblissement de l'identité lié à la coupure avec sa sensibilité et son humanisme.

Ce constat me ramène à un exercice de partage que je fais dans mes groupes d'hommes. Je leur demande de se présenter en faisant la distinction entre ce qu'ils font et ce qu'ils sont. Il n'est peut-être pas nécessaire de dire que j'observe à quel point le « ce qu'ils font et ce qu'ils ont » est beaucoup plus élaboré et explicite que le « ce qu'ils sont ». Je vous propose de tenter cet exercice en suivant le modèle qui suit.

Je vais prendre l'exemple de ce que je dis lorsque je me présente à un groupe. Dans un premier temps, j'annonce ce que je fais dans la vie, ce que je suis professionnellement, et je précise : « Je suis thérapeute en relation d'aide depuis X années; j'ai fait une recherche concernant l'émotivité chez les hommes. J'ai œuvré dans un centre de réadaptation pour délinquants; j'ai été thérapeute en violence conjugale. Je suis responsable de ceci et de cela, etc. » C'est avec fierté que je présente mes réalisations et mes expériences.

Dans un second temps, je dis clairement que je vais présenter non plus ce que je fais, mais qui je suis, ce qui peut se dire de plusieurs façons selon ce que je vis à ce moment. Par exemple : « Et maintenant, sur le plan personnel, je suis un homme très sensible, insécure, peureux et émotif; je suis un homme pour qui sa relation amoureuse et sa fille occupent une place prioritaire; je suis un homme marqué par la peur du ridicule; je suis un homme qui aime se sentir proche des autres hommes; je ne suis pas homosexuel, mais j'ai besoin d'échanges avec d'autres hommes. Cela m'apporte beaucoup dans mon sentiment d'être moi-même plus homme... » À cela peuvent s'ajouter bien d'autres confidences touchantes, humaines, vécues sur le moment, ce qui a pour effet de me faire sentir affectivement plus proche des participants. Je me présente alors à eux sans masque. En agissant ainsi, je n'ai plus rien à cacher et j'encourage les participants d'une façon suggestive à adopter le modèle que je privilégie, soit le partage démasqué. L'identité de l'homme est beaucoup plus entretenue par ce qu'il est que par ce qu'il fait; d'être incapable de se définir à partir de sa personne plutôt que de son rôle social peut mener à une identité confuse et affaiblie.

EXERCICE DE RÉFLEXION

DIFFÉRENCIER CE QUE JE SUIS DE CE QUE JE FAIS

a) **Ce que je fais**

Définir mon rôle social, ma fonction professionnelle, mes activités sociales, mes passe-temps, mes activités ludiques et personnelles.

_____

_____

_____

b) **Ce que je suis**

Définir d'une façon personnalisée, c'est-à-dire exprimer en terme de « je », ce que j'aime particulièrement, ce qui me fait peur et pourquoi. Qu'est-ce qui me rend sensible, ému, en colère, me blesse et me peine ? Quelles sont mes joies, mes colères, mes passions et les blessures profondes originaires de mon enfance ? Quelles sont mes capacités à parler de moi en groupe, dans l'intimité, et pourquoi ? Qu'est-ce que j'aime ou déteste ? Qu'est-ce qui me gêne ou me stimule ?

_____

_____

_____

_____

_____

Vous pouvez aussi ajouter des réflexions personnelles qui définissent qui vous êtes en tenant compte de votre vécu actuel. Comment est-ce que je me sens en ce moment, aujourd'hui, cette semaine, ce mois-ci ? Qu'est-ce qui me préoccupe, me stimule, par les temps qui courent ? Quels sont mes objectifs ?

_____

_____

_____

_____

_____

Complétez cet exercice en référant aux événements qui s'y prêtent dans votre vie quotidienne, et ce, pour amener dans vos conversations non seulement ce que vous faites, mais aussi qui vous êtes et ce que vous vivez.

_____

Le drame de l'homme coupé de sa sensibilité, confus dans son ressenti et dans son identité, le drame de l'homme masqué qui ne peut exister sur le plan personnel mais seulement sur le plan professionnel, sur le plan du faire plutôt que de l'être, c'est de plonger dans un total désarroi lorsqu'il perd son emploi, qu'il n'a pas cette promotion si longtemps convoitée, que son entreprise fait faillite ou que son commerce n'est pas prospère. C'est toute sa valeur qu'il perd, c'est le sens de sa vie qui vient de s'écrouler, non seulement sa prospérité financière. Se relever de cette épreuve peut alors lui sembler impossible. À ce moment-là, il ne lui restera qu'à espérer, autant pour son entourage que pour lui-même, qu'il ne se fera pas davantage de mal en rejetant ceux et celles qu'il aime, qu'il ne s'enfoncera pas dans la consommation compulsive d'alcool ou de drogues afin de fuir son vide, qu'il ne versera pas dans la pornographie et la prostitution d'une façon abusive, perdant ainsi le contact avec ses besoins affectifs. Tout cela dans le but de colmater un tant soit peu la faille creusée dans sa fierté d'homme par son émotivité bâillonnée. L'épreuve deviendrait alors encore plus traumatisante. Plutôt que de se servir de cette occasion pour s'humaniser en apprenant à vivre davantage ses émotions et à connaître les besoins et les priorités qui font partie de son identité réelle, il s'éloignerait de lui-même. Si, au contraire, il accepte cette épreuve en gardant le contact avec tout son vécu, il vivra une expérience initiatique, il enrichira son être. Elle peut l'aider à renforcer son identité, ou au contraire à l'enfoncer.

Cette confusion intérieure risque aussi d'amener l'homme à faire des choix d'une façon défensive, c'est-à-dire à fuir ses émotions et ses peurs plutôt que de les affronter et de satisfaire ses besoins. Si tel est le cas, il sera inconscient qu'il fuit ses peurs du ridicule, du rejet, de l'humiliation, et ses malaises et insécurités, autant matériels et financiers qu'affectifs. Il lui sera alors impossible d'agir en fonction de ses besoins réels, qu'il ne connaît pas vraiment car ils sont dissimulés derrière ses attitudes défensives. Ce sont les besoins d'amour, d'écoute, de reconnaissance et de sécurité.

Le manque d'identité ou la confusion de l'identité, résultat d'un manque de connaissance de soi causé par le refus de reconnaître et d'accepter ce qu'il est, amène l'homme soit à ne pas s'accepter globalement, soit à refuser des aspects plus particuliers de lui-même. Il les juge et refoule son agressivité, sa vulnérabilité, ses peurs, ses attitudes efféminées ou dominatrices. Il ne se permet pas de ressentir et d'exprimer avec congruence des émotions telles que la peine et la peur. Il contrôle, retient et transforme en d'autres attitudes plus acceptables de sa part celles qui émanent de ses émotions, classées comme masculines d'un côté et surtout féminines de l'autre. C'est là qu'il revêt un masque, d'une façon consciente ou le plus souvent inconsciente. Son fonctionnement se définit ainsi : il se coupe de son émotivité, de son senti, et présente suite à cette non-acceptation une attitude ou émotion plus acceptable, ce qui entretiendra et créera à la longue de la confusion sur le plan de son ressenti et de son identité. Voilà ce qui se produit : il a peur et se montre provocateur.

CAS VÉCU

LA PEUR DANS LES SPORTS DE COMPÉTITION

J'ai souvent adopté moi-même cette attitude lorsque je jouais au football. Pour éviter l'humiliation de me faire traiter de peureux, j'ai longtemps tenté de cacher ce vécu aux autres. Après plusieurs années, je constatai que j'avais peur lorsque j'étais blessé ou qu'un danger réel se présentait. Ce fut pour moi une découverte importante. Transformer ainsi ma peur en attitudes provocatrices pour recevoir reconnaissance plutôt qu'humiliation m'empêchait justement de bien me protéger physiquement ou de guérir complètement lorsque j'étais blessé, de revenir au jeu en pleine possession de mes moyens. À force de nier mes peurs, j'ai fini par ne plus savoir si j'avais réellement peur, si c'était de l'agressivité ou de la frayeur; je suis resté confus jusqu'au moment où j'ai commencé à accepter mes peurs, à les accueillir, à les ressentir et à me les dénoncer. Là, je savais ce qui se passait en moi, et j'ai vu à quel point je suis un homme qui déteste la violence, contrairement à ce que j'avais longtemps pratiqué. J'ai vu que je versais souvent dans la violence, et ce, au terme d'une recherche inconsciente d'être reconnu comme un vrai « mâle ». Depuis ce temps, lorsque je pratique le karaté ou d'autres activités, je m'avoue mes peurs et mes limites malgré mon inquiétude d'être jugé faible, « moumoune ». Cet aveu m'a donné la possibilité de respecter mes limites, et de bien guérir mes blessures physiques avant de revenir à la pratique de mon sport. ■

Voici un autre exemple de transformation de l'émotion réelle non acceptée engendrant la confusion de l'identité. « J'ai de la peine et je l'exprime par de la colère. » J'ai constaté que c'est le plus fréquent des masques rencontrés chez les hommes en thérapie. Je les vois me verbaliser leur colère, et très souvent leur peine reste silencieuse en filigrane, comme c'est fréquemment le cas lors de thérapies de couple. Voici une autre façon de transformer son émotion profonde en émotion de surface pour masquer son identité réelle par peur de s'abaisser, de « perdre » la face ou sa crédibilité. « J'ai de l'inquiétude, de la nervosité et j'analyse la situation d'un air stoïque, ou je cherche même à rassurer les autres. » Ces attitudes de camouflage peuvent donner lieu à des situations de plus en plus froides, insatisfaisantes, blessantes et conflictuelles qui éloignent l'homme de ses besoins réels et des autres, comme en témoigne la situation suivante.

CAS VÉCU

SERGE

Serge travaille avec son père. Ce dernier le rejoint à son bureau et lui déclare sur un ton colérique que la dernière décision qu'il a prise a été une erreur qui a coûté cher à l'entreprise. Serge se sent très coupable et a peur d'avoir déçu son père et de ne plus être aimé de lui. Plutôt que de rester en contact avec la vulnérabilité qu'il ressent à ce moment, par peur inconsciente de donner du pouvoir à son père, de perdre la face, de se sentir encore plus coupable, il réagit en se défendant. Il nie son erreur, accuse son père d'en commettre lui-même, l'expulse de son bureau, puis quitte le travail. Ayant honte de sa peur, de sa culpabilité et probablement de sa peine d'avoir déçu son père, il transforme des émotions qui peuvent le rendre vulnérable en une attitude d'attaque virile. Serge ne sait même plus s'il éprouve de la peine, de la colère ou de la déception. Une partie de son émotivité, surtout ce qui le rendrait vulnérable, ne lui est pas accessible. C'est pour se sentir un vrai homme qu'il a réagi défensivement, ce qui crée chez lui de la confusion sur son ressenti réel et l'empêche de prendre conscience de qui il est vraiment, c'est-à-dire un homme sensible qui a peur de décevoir son père. Ce fonctionnement l'entretiendra dans une incapacité à parler de lui avec authenticité et dans une relation conflictuelle avec son entourage. ■

Ce fonctionnement se retrouve aussi à l'inverse, soit la transformation d'une émotion reconnue socialement comme virile, masculine, en une attitude plus féminine. Daniel en a souvent fait l'expérience en se montrant compréhensif et peiné devant les refus de sa blonde, sans faire place à l'agressivité et à la colère qu'il ressentait lorsqu'il se sentait exclu. Cette émotion lui étant inacceptable, par peur de se sentir méchant, coupable, il perdait l'affirmation de ses limites et ne se protégeait plus de la souffrance d'abandon provoquée par le côté fuyant de sa blonde, abandon qui le faisait souffrir énormément. Ses émotions et son identité devinrent ainsi confuses.

Voyant que l'identité s'affaiblit et s'embrouille de plus en plus à force de non-congruence et que cette situation devient génératrice de conflits et de problèmes autant intérieurs qu'extérieurs, pourquoi acceptons-nous de nous trahir en jugeant certaines de nos émotions et attitudes ? Pourquoi acceptons-nous de les remplacer par d'autres émotions ou comportements qui ne sont pas les nôtres ? D'où vient chez l'homme cette tendance à cacher sa peine par une fausse colère, à transformer ses peurs et ses inquiétudes en de belles analyses et à ne pas exprimer clairement ses besoins affectifs ? La réponse se trouve dans la relation à nos premiers éducateurs.

Cela nous ramène à nos relations premières, à nos parents ou à leurs substituts, qui ont été nos modèles de base pour construire notre identité et nous donner l'exemple à suivre ou ne pas suivre dans l'expression de nos émotions. L'être humain bâtit cette identité par polarités. Nous insisterons sur deux d'entre elles : soit la polarité féminine, qui comprend toutes les émotions et les attitudes nous venant de notre mère, et la polarité masculine, reçue de notre père. Chez l'homme, la polarité qui lui vient de son père constituera son identité sexuelle; l'intégration complète des deux polarités constituera son identité d'être humain complet. Notre façon de vivre ou de ne pas vivre nos émotions, nos attitudes et nos comportements nous vient donc de nos premiers modèles.

Ces modèles se retrouvent chez tous les individus et le formeront globalement, qu'il soit homme ou femme. C'est au cours du processus inconscient de maturation que l'enfant, pour se bâtir une identité dans son évolution, observera son entourage, particulièrement ses parents, et les imitera. Plus il accepte ses modèles, moins il sera confus. Sauf si ce modèle était lui-même confus et aux prises avec des interdits, comme ce fut le cas pour mon père.

CAS VÉCU

MON PÈRE

Je n'ai jamais vu mon père pleurer. Ce qui est étonnant, c'est que mes sœurs m'ont toutes confirmé qu'il avait souvent pleuré en leur présence. Ce fait corrobore l'interdit de montrer sa peine entre hommes, de père à fils, mais non de père à fille, ce qui entretient cette confusion quant au ressenti de la peine chez l'homme. Je n'ai jamais vu non plus mon père exprimer clairement ses besoins d'attention, d'amour, de support et d'affection. Lorsque mon père ressentait un manque dans ses besoins, il se refermait et boudait. Il accumulait tellement de manques qu'au bout d'un certain temps la tension était à son comble dans la maison; il lui arrivait même de piquer des crises de colère et de recourir à la violence. Lors de ces crises, ma mère et moi avons souffert d'insécurité, de peine et de peur. J'en ai voulu à mon père et me suis juré de ne jamais lui ressembler. Malheureusement ou heureusement, le processus d'identification a suivi son cours et, tout comme mon père j'ai dû composer avec mon propre silence d'homme, avec ma propre confusion par rapport à mes émotions et à mes besoins. Pour ne pas perpétuer les attitudes que je condamnais chez mon père, j'ai dû apprendre à connaître mes manques et à exprimer avec clarté les émotions qui y étaient liées. ∎

D'une façon plus précise, c'est en s'identifiant à un modèle que se structure la personnalité d'un individu. Ce processus d'identification a lieu particulièrement dans la petite enfance (0-6 ans) et dans l'enfance (7-12 ans). Tout d'abord, il se fait par un mimétisme inconscient. Par exemple, comme le disait un de mes enseignants au cours d'une formation : « L'enfant qui imite son père qui lit le journal n'en a pas conscience; il est réellement son père dont il s'approprie à la fois le rôle et la puissance. » Au cours de l'enfance, sa personnalité s'organise en fonction des modèles de l'entourage, jusqu'au jour où il peut se valoriser à l'égal de ces modèles, c'est-à-dire faire sien ce mouvement emprunté à son père après de multiples répétitions.

L'identité, selon Manon Cloutier, psychologue et professeure à l'UQTR, est formée d'une façon complexe à partir de plusieurs composantes intérieures et extérieures. De l'intérieur, elle comprend l'hérédité, le tempérament et les aptitudes. De l'extérieur, elle englobe l'influence du milieu, l'éducation et les attitudes que l'on développe.

RELATION AVEC L'EXTÉRIEUR : IMPACT SUR L'IDENTITÉ

Dans son processus de maturation et tout au cours de sa vie, l'individu cherchera naturellement à s'identifier à son entourage pour se construire et se définir. En imitant son père, il s'en appropriera les agissements. Ce processus peut se faire d'une façon consciente ou inconsciente. Durant l'enfance, l'individu s'identifie d'une façon naturelle. Plus tard, à l'adolescence et à l'âge adulte, il choisira des modèles pour en développer les habiletés comme un forgeron apprend à forger, un psychothérapeute à aider, ou un joueur de hockey à s'améliorer. L'identification est, selon Laplanche et Pontalis, un processus psychologique qui amène un sujet à assimiler un aspect à une propriété, un attribut de l'autre, et à se transformer partiellement ou totalement à partir de ce modèle. J'ai pu souvent remarquer que, devant ce qui me dépasse, je cherche d'une façon naturelle dans mon registre intérieur, constitué de modèles passés. Je recherche comment agir et, si je n'y trouve pas de réponse satisfaisante, c'est là qu'intervient l'entourage. Comment telle ou telle personne que je juge apte à résoudre ce problème ferait-elle pour s'en sortir ? Je définis par l'expérimentation ma façon personnelle d'agir. Je demande des conseils, je lis, j'observe, je réfléchis en cherchant le modèle le plus conforme à mon besoin en ce qui concerne le travail, les enfants ou les relations que j'entretiens. J'intègre par la suite ces nouvelles façons de faire pour m'aider à répondre le plus adéquatement possible aux problèmes que je vis.

L'enfant forgera sa façon d'être et ses aptitudes sociales à force de voir agir ses parents et autres membres de sa famille des dizaines et des dizaines de fois. Ignorant le principe d'identification, il imitera sans discernement, sans savoir si ce qu'il fait est bon ou non pour lui et pour son entourage; il fera siens les attitudes, les réactions et les comportements de son milieu par soif naturelle de se développer, orienté par ses besoins d'être aimé, sécurisé et accepté.

CAS VÉCU

L'APPRENTISSAGE INCONSCIENT

Clément me confiait dernièrement en consultation individuelle à quel point il avait souffert des comportements dénigrants, contrôlants, castrants et dominateurs de son père sur lui et sur les membres de sa famille : critiques continuelles, engueulades multiples et conflits déclenchés par son père, et ce, pour une multitude de raisons aussi insignifiantes que banales. Ainsi, il se sentait abaissé et privé par son père de l'apport positif de l'expérimentation, de l'encouragement et de la reconnaissance. Mais ce qui l'humiliait encore plus, c'est que son père semblait s'enorgueillir de son comportement dur. C'est pourquoi Clément ressent beaucoup d'insécurité et de colère à l'approche de son père. Il constate parallèlement avoir aujourd'hui, tout comme lui, cette même difficulté à laisser les autres libres, spontanés dans l'expression de leur joie, et ce, malgré le fait d'avoir condamné ce comportement. Puis, peu de temps après cette confidence, il vint me consulter avec sa conjointe en avouant, cette fois-ci devant elle, avec humilité, peine, regret et culpabilité qu'il avait les mêmes comportements que son père, et ce, sans trop savoir pourquoi. De façon compulsive, il critiquait et reprenait inutilement et régulièrement sa conjointe et sa fille pour se valoriser en tant qu'homme de la maison. Il voyait avec une certaine impuissance qu'il répétait ce qu'il avait vu de son père, et se rendait bien compte qu'il n'arrivait pas à trouver en lui une autre façon de faire, n'en ayant pas appris d'autres. Il me confia après que devenir plus conciliant et faire preuve d'humilité en s'excusant et reconnaissant ses limites lui faisaient vivre le sentiment désagréable d'être un enfant, de s'abaisser ou d'être comme sa mère. C'est pourquoi il s'y est toujours refusé. Clément avait maintenant besoin d'un modèle d'homme humble, ouvert à la communication et à la collaboration, capable de s'excuser, pour réaliser qu'il ne s'abaisserait pas mais resterait bel et bien un homme et un vrai s'il parvenait à faire preuve d'humilité. Selon ses introjections, un vrai homme domine la maison, domine sa femme et sa fille, un vrai homme a toujours raison et ne se laisse jamais remettre en question. Valeurs acquises au contact de son père, pour être en accord avec ce dernier et ainsi réussir à ne pas ressentir de culpabilité. ■

L'enfant apprendra de ses parents comment agir socialement, amoureusement, professionnellement et en tant que parent. Dans le cas qui nous intéresse, il apprendra, en voyant ses parents agir, comment exprimer et vivre sa colère, sa peine, sa frustration, ses inquiétudes, ses peurs, ses besoins affectifs, etc.

CAS VÉCU

LE PÈRE COMME MODÈLE DE NON-COMMUNICATION DES BESOINS

Par exemple, Carl n'a jamais vu son père pleurer, ne l'a jamais entendu exprimer d'une façon responsable et cohérente ses besoins, ses manques et ses malaises. Ce qu'il a vu cependant, c'est un père silencieux sur ses émotions, sur ses manques et ses besoins, et qui, par un effet d'accumulation, se refermait de plus en plus sur lui-même et buvait seul dans son sous-sol, c'est un père qui allait jusqu'à piquer une crise de violente colère de façon régulière tous les six à douze mois. Tout ce qu'il n'avait pas réussi à évacuer sortait de façon explosive. Une fois le mal éliminé, une fois la gueule de bois passée, une fois libéré de ses frustrations, son père ressentait une grande culpabilité, ce qui pendant quelques jours le rendait plus abordable, plus ouvert et plus gentil. Puis, lentement et d'une façon répétitive, le cycle recommençait par le silence sur ses malaises et ses besoins; il se réfugiait de nouveau dans son sous-sol pour boire. Carl me confiait à quel point il détestait voir son père dans son silence et ses crises; il souffrait d'insécurité, de manques et de peur. À travers cela, la relation avec son père lui faisait défaut car, redoutant son agressivité, il le jugeait indigne et se tenait loin de lui. Par la suite, il a longtemps voulu éviter d'agir comme lui dans sa relation amoureuse. Toutefois, malgré son désir de ne pas ressembler à son père dans ce fonctionnement, l'identification inconsciente au modèle s'était formée. C'est pourquoi il vint me consulter : il répétait, malgré sa bonne volonté, le même cycle de silence, d'isolement et de consommation abusive d'alcool. En voulant esquiver les conflits, ne pas créer de séparation et éviter de blesser psychologiquement sa conjointe, il n'exprimait pas ses malaises, ses besoins, ses peines et ses manques, lesquels s'accumulaient. Puis, au bout de quelques mois, il éclatait, accusait, criait. À la lumière de ses insatisfactions restées silencieuses, il devenait convaincu qu'il devrait quitter celle qu'il aimait. Suite à cette crise, tout comme son père il se sentait coupable, regrettait la violence de ses mots, mais se sentait soulagé et plus amoureux. Il voulait maintenant apprendre à exprimer ses besoins, ses insatisfactions, ses manques et ses blessures sans avoir à passer par ce processus de refoulement et d'éclatement qui déstabilisait tout le monde et laissait des blessures dans le couple et la famille. ∎

Le processus d'identification inconscient est une partie importante qui structure l'identité, et ce, qu'on soit d'accord ou non avec nos modèles passés, comme c'était le cas pour Clément et Carl. Il se déroule à un âge où l'enfant n'a pas tout le discernement nécessaire pour différencier clairement le bien du mal. Cependant, lorsque le petit garçon grandit et devient adulte, il a à définir s'il est en accord avec ses modèles, tout comme il l'avait fait à l'adolescence ou au cours d'une démarche de croissance, c'est-à-dire prévenir la confusion et l'affaiblissement de son identité par la réorientation de certaines de ses façons d'être et d'agir. Par cette remise en question il sera en mesure de refuser ou d'accepter les émotions et les attitudes acquises qui émaneront lorsqu'il sera confronté à différentes façons d'être. Il sera alors devant l'étape de l'identification consciente pour transformer et réajuster sa façon d'être, tout comme l'a fait Carl dans sa recherche d'un modèle d'homme plus humble. Benoît me confiait à quel point dans sa belle-famille il était confronté à son manque de douceur et de tact par la gentillesse et la solidarité exprimées, contrairement à ce qui se passait dans sa propre famille, où le partage, l'entraide et la communication non défensive étaient inexistants. Il remit alors en question les modèles d'homme dur qu'il avait reçus pour apprivoiser les nouveaux modèles, qui correspondaient davantage à ses besoins affectifs : « Ils m'écoutent, s'intéressent à moi, m'apprécient et me le disent; c'est vraiment bon à recevoir. J'aime ma famille mais personne n'arrive à exprimer ces beaux sentiments et ça me manque et m'éloigne d'eux. »

Pour que vous puissiez bien faire la différence entre les processus d'identification inconsciente et consciente, permettez-moi de vous présenter un exemple d'identification consciente.

CAS VÉCU

S'IDENTIFIER POUR S'AMÉLIORER

À l'âge de 25 ans, j'ai décroché un emploi comme éducateur dans un centre de réadaptation auprès de délinquants,
emploi que j'ai occupé pendant plus de cinq ans. Au début, je tentai tant bien que mal de faire ce que je croyais
être le mieux. Je vis rapidement que j'avais une grande
facilité à communiquer avec les jeunes. Cependant, j'éprou-
vais de la difficulté à appliquer les règles et il m'arrivait
même de contrevenir à celles que j'avais à faire respecter.
Là où j'étais le plus mal à l'aise, c'était dans l'application
des sanctions. Puis, voyant de plus en plus la nécessité de
faire respecter les règles, je commençai, afin de trouver un
modèle à suivre, à observer les éducateurs en place et à
voir la façon dont ils s'y prenaient. Il me fallut éliminer les
éducateurs qui avaient une façon d'agir à l'encontre de mes
propres valeurs et de ma personnalité, par exemple ceux
qui ne communiquaient pas du tout avec les jeunes ou ceux
qui étaient tellement craints qu'ils n'avaient qu'un mot à
dire pour rétablir l'ordre. Lentement, j'ai assimilé plusieurs
types d'interventions qui m'allaient bien; je me mis à les
mettre en pratique et à structurer ainsi ma propre façon de
faire. Ce processus d'identification, qui fut fait d'une façon bien consciente, m'a aidé à prendre de l'assurance en
tant qu'éducateur, à appliquer les règles d'une façon satisfaisante sans pour autant perdre le contact privilégié que
j'entretenais avec les contrevenants. On retrouve ce même
fonctionnement d'identification consciente dans la relation
maître-élève.   ■

Plus un garçon en vieillissant est en accord avec ses
modèles, plus il sera cohérent avec lui-même, avec ce qu'il
est, dans ses agissements, ses réactions et ses comportements. Il acquerra une certaine puissance de caractère,

puisqu'il ne sera pas continuellement rongé par le doute, la remise en question et la culpabilité. Son identité n'en sera que plus forte et beaucoup moins confuse. Le propre de l'identification consciente consiste pour lui à aller chercher un modèle qui l'aidera à s'accepter et à utiliser son potentiel créateur, et ce, dans le respect de ses émotions et de son être. L'idéal serait une acceptation globale de ses deux polarités, masculine et féminine, lesquelles contribuent à construire son identification. Bien que son identité masculine lui vienne de l'acceptation des émotions et comportements qu'il a acquise dans la relation avec son père, son identité d'être humain demeure incomplète s'il n'accepte pas aussi la partie qui l'identifie à sa mère. Cette partie manquante fera de lui un vrai mâle en déficit d'humanisme, en privation de sensibilité, ce qui amènera la mise en place des masques de rationalité et/ou de dureté.

La connaissance du processus d'identification conscient ajoute à la compréhension du processus d'identification inconscient, celui-là même qui crée les « vrais mâles » de notre société. La difficulté à laquelle les hommes sont aux prises, c'est de faire le choix entre être un vrai mâle ou un être humain. Malgré tout le potentiel de bien-être que l'on retrouve dans le processus d'identification conscient, nous retrouvons d'une façon plus générale chez les « garçons » une meilleure acceptation des comportements leur venant du père (ou d'un parent), que de ceux venant de la mère (ou de l'autre parent), qui sont le plus souvent rejetés. Moins l'homme s'accepte d'une façon globale, plus il favorisera chez lui une personnalité divisée et plus il aura une identité fragile. Plus il encouragera chez lui cette fragilité, plus il sera susceptible de porter un masque. Car s'il refuse l'émotion qui se présente en lui parce qu'il ne l'accepte pas chez son père ou chez sa mère, il devra la remplacer par une autre, une émotion qui sera trafiquée. C'est à partir de là, en refusant leur émotivité et leur sensibilité, que les jeunes garçons se font les « acheteurs » de fausses valeurs qui conditionnent leurs agissements et leur façon d'être, et ce, dans le but de devenir de « vrais hommes » plutôt que des hommes vrais. Nous verrons plus loin, au troisième chapitre, à quel point ils vivent une confusion dans ce qu'ils ressentent par rapport à ce qu'ils affichent.

CAS VÉCU

MARC ET LE JUGEMENT SUR LES CARACTÉRISTIQUES FÉMININES

Voyons concrètement comment cela se présente. Voici l'exemple d'un homme en accord avec ses attitudes masculines, c'est-à-dire avec son identification à son père, mais qui refuse sa polarité féminine. Le héros de Marc fut sans contredit son père. Depuis son tout jeune âge, il l'admire pour son indépendance, sa débrouillardise, sa force d'affirmation et sa réussite professionnelle. Paradoxalement, à l'instar de son père, Marc a toujours aimé sa mère mais, en même temps l'a toujours trouvée faible car elle pleurait, s'inquiétait pour lui, pour son mari, pour sa famille; bref, elle était émotive et sensible. Ce qui fait que Marc a survalorisé les attitudes venant de son père, auxquelles il s'était identifié. Il était bon travailleur, très indépendant, peu communicatif; il refoulait et cachait la partie de ses émotions qui lui donnait le sentiment désagréable, humiliant dans son désir d'être un vrai homme, de ressembler à sa mère. Car ce qu'il désirait, c'était être considéré comme un vrai homme et, à cette fin, il se devait de ressembler à son père, qui fut son modèle de référence au cours de son développement et de qui il avait appris comment communiquer, comment agir, quoi dire lorsque ça n'allait pas et surtout quoi ne pas dire. Le résultat fut de développer chez Marc des masques de dureté; s'il avait peur, il devenait agressif; s'il avait de la peine, il s'enorgueillissait et se renfermait dans l'insensibilité; si quelqu'un exprimait de la vulnérabilité et de la peur dans son entourage, il cachait ce côté de lui en ridiculisant cet individu pour s'en dissocier le plus possible, pour être certain que personne ne l'associerait à ces émotions. Marc ne s'acceptait pas dans sa polarité féminine : il refusait d'avoir de la peine, des doutes, des peurs, des inquiétudes et des limites. S'il en avait, il se jugeait faible comme sa mère et pas à la hauteur de l'image idéalisée de l'homme, image irréaliste qu'il avait toujours eue de son père. Par conséquent, il ne connaissait pas ses peines, ses peurs et ses besoins affectifs, ce qui le dissociait de ses émotions de sensibilité et de vulnérabilité en le rendant froid, distant et agressif dans l'intimité. D'une façon bien compréhensible, Marc est venu me consulter pour les problèmes d'angoisse que les émotions accumulées avaient créés. Quelle ne fut pas sa surprise de réaliser à quel point il ressemblait non seulement à son père, mais aussi à sa mère, puisqu'il était un homme sensible, insécure et émotif. Au début, ce fut une démarche très difficile puisque, dès que nous parlions de ses angoisses, il se jugeait comme étant faible. Lorsqu'il s'agissait d'être à l'écoute de ses émotions, Marc devenait perturbé, confus et perdu. Il n'acceptait pas d'être ainsi; il aurait voulu n'être que dur, sûr de lui et insensible. Par contre, en découvrant la partie émotive héritée de sa mère, il réalisait qu'il était plus proche des gens, ce qu'il trouvait très agréable et très nourrissant sur le plan affectif. Cette acceptation et la libération qui s'ensuivit le soulagèrent de son angoisse. Marc réalisa par la même occasion à quel point il avait toujours souffert d'une grande solitude, à laquelle il palliait par le travail et les « cuites » de fin de semaine. ∎

Je tiens à souligner à quel point la nature humaine est riche et complexe. Il est donc impensable d'inclure tout le monde dans un même schème de pensée. Par exemple, un garçon qui a été élevé par une mère très émotive et qui ne s'accepte pas ainsi (car ayant intégré des valeurs de rationalité et de dureté) développera une honte de ses émotions et s'affublera d'un masque de rationalité, source principale de sa coupure émotive. Dans un autre cas, la femme très sûre d'elle-même, avec un côté masculin très fort, engendrera chez le garçon très peu sensible un équilibre affectif déconcertant. Quant à son frère, peut-être ne réussira-t-il pas à s'adapter, à développer son assurance, et ce, malgré l'amour et l'effort de ses parents. Dans certaines familles, la mère est plus masculine que le père et un événement donné aura sur un des enfants un impact qu'il n'aura pas sur les autres. C'est cela la richesse de l'être humain. Les interactions et les possibilités sont infinies; c'est à chacun à apprendre à se connaître. Cependant, le résultat sera en relation directe avec le refus du jeune garçon à accepter ses émotions, qu'il associe à la femme, ou à la polarité féminine, et à la faiblesse. Il risquera de surévaluer ses attitudes d'homme et portera, pour refouler cette sensibilité, des masques de rationalité et de dureté.

Plus le jeune garçon acceptera l'ensemble des émotions et des attitudes identifiées autant à sa mère qu'à son père, plus son identité sera solide et moins il aura de doute face à ce qu'il ressent, pour enfin agir pour lui plutôt que pour les autres. Il sera moins confus et prendra alors la route de l'autonomie affective. Il y aura moins de remises en question sur ce qu'il ressent, sur ses choix et sur lui-même. Cependant, la remise en question de soi est, jusqu'à un certain degré, une démarche naturelle et saine. Le phénomène de non-acceptation de l'émotivité et de la sensibilité se vérifie quotidiennement chez l'homme. Chaque fois que les autres lui expriment leurs émotions, il vit la culpabilité, la peur de ne pas être correct ou d'être vulnérable, la peur d'être déclenché dans ses propres émotions, la peur qu'ils prennent du pouvoir sur lui, qu'ils le manipulent. S'il refuse sa polarité sensible, émotive, dite féminine, comme partie intégrante de lui-même, il perdra confiance en lui et, par conséquent, se privera de la liberté de s'exprimer à partir de ce qu'il ressent. Éprouve-t-il toujours des tiraillements lorsqu'il se demande si ce qu'il ressent est bien ou non ? Fait-il un pas hésitant vers la personne concernée pour lui parler de ses émotions ? Si c'est le cas, recule-t-il rapidement avant même d'avoir dit quelque chose, par peur de s'abaisser ? Se dit-il par exemple : « J'ai de la peine et je prends le temps de me faire du bien » ? Ou réagit-il simplement en refusant ce qui se présente à lui par peur d'être ému : « Je n'aime pas lorsque tu me regardes dans les yeux en silence », ou « Je n'aime pas lorsque tu me dis ce que tu n'aimes pas; on dirait que tu cherches à me rendre coupable ou à me contrôler » ? Aussitôt après, il se reprend, se retire, s'enlève le droit de se faire du bien ou de se respecter. Dans ce contexte, finira-t-il, par exemple, par remettre toute l'éducation des enfants entre les mains de sa conjointe, lui demandant de leur parler à sa place sous prétexte que cela fait partie du monde de la communication et donc de celui de la femme ? Ou encore se fiera-t-il sur l'extérieur et remettra-t-il la prise en charge complète de sa santé entre les mains de sa conjointe ou d'un médecin ? Ira-t-il au-delà de ses limites par peur de ne pas être vu comme un vrai homme ? Il est fort probable que de tels comportements guettent l'homme qui fuit son émotivité et sa sensibilité !

Ce que nous venons de voir à travers l'histoire de Marc, c'est l'exemple de l'homme qui accepte son identification masculine mais qui refuse sa polarité féminine. Il accepte de lui toute attitude et toute émotion qui le ramènent à sa masculinité. Ainsi, il ne vit pas dans le doute tant et aussi longtemps qu'il demeure dans cette polarité, car il est en accord avec le modèle d'homme que représentait son père. Cependant, en refusant en lui sa féminité, il est mûr pour la mise en place des masques de rationalité ou de dureté. Voyons maintenant ce qui arrive lorsque c'est le contraire qui se produit. Il s'agit d'une réaction inverse à l'identification, que l'on nomme phénomène de l'anti-modèle sexuel. L'homme rejette en lui ce qui ressemble à son père, qui est son symbole de masculinité; il refuse de ressembler au modèle reçu. Entrons maintenant un peu plus en détail dans le deuxième processus de formation de confusion et d'affaiblissement de l'identité.

Une identité sexuelle affaiblie est le résultat du refus chez l'homme, particulièrement à l'adolescence et à l'âge adulte, d'accepter son père et de se reconnaître à travers lui. Ce phénomène devient alors un processus d'identification par anti-modèle. L'identification, comme je l'ai dit précédemment, est un processus naturel inconscient qui se développe en bas âge et qui sert à la construction de l'identité d'un individu. Qu'arrive-t-il lorsqu'un garçon, un adolescent ou un homme s'identifie négativement en refusant de reconnaître en lui les traits ou les attitudes de son modèle d'homme, c'est-à-dire de son père ? Il s'empêchera d'être l'homme qu'il est devenu. Il cherchera à nier ou à cacher sa vraie nature masculine, ses vraies émotions d'homme telles que la colère, l'agressivité et le désir sexuel.

CAS VÉCU

PATRICK : SON PÈRE, UN ANTI-MODÈLE

Durant toute son enfance, Patrick a entendu parlé négativement de son père et il en est venu à le voir comme le responsable des malheurs familiaux. Dans sa famille, une parole perturbait beaucoup les enfants : « Tu ressembles à papa ! » ou bien « Tu es pareil à ton père ! » Plus il avait conscience de ce qui se passait à la maison à travers les dires de sa mère, moins il voulait ressembler à son père et à ses frères aînés qui, eux aussi, affichaient les attitudes masculines qu'il condamnait. Pour ne pas être comme son père ou ses frères, il s'est mis à nier et à refouler ses émotions, plus particulièrement les émotions d'agressivité et d'affirmation telles l'impatience, la jalousie, la colère et la concrétisation de ses plaisirs et de ses désirs. Il en est venu ainsi, dans les relations avec les femmes en particulier, à refouler et à contrôler les attitudes qui pouvaient leur ressembler et le faire sentir coupable. Il évitait de se centrer sur ses besoins et ses plaisirs, de lire le journal devant les autres, de bouger l'épaule comme son père le faisait, d'utiliser les mêmes jurons, d'extérioriser autant que lui ses qualités rationnelles. Il refoulait du même coup ses capacités d'affirmation et de satisfaction de ses besoins. Il s'est mis également à refouler son désir envers la femme pour ne pas avoir le sentiment culpabilisant de la « salir », pour ne pas « lui manquer de respect »; il s'est même coupé de toute spontanéité virile. Dans ce contexte d'autocritique, il était persuadé que, lorsqu'il s'affirmait et que ça dégénérait en conflit, en éloignement ou en malentendu avec quelqu'un, il venait de faire quelque chose qu'il ne fallait pas. C'est en jugeant ainsi son agressivité ou son désir, comme il le faisait de son père et de ses frères, qu'il se convainquit de la nécessité de ne pas être ainsi. Il projetait alors ses jugements sur les autres et pensait être jugé par eux comme il avait jugé ses frères et son père, des hommes méchants. Il fut ainsi amené à s'éteindre pour être bon, gentil, patient et respectueux envers la femme et dans la vie en général. Ce qui forgea par la suite chez lui un masque d'anti-virilité. Cependant, condamnant les attitudes masculines, il craignait, fuyait et désapprouvait les hommes qui arboraient des attitudes d'affirmation, de séduction et d'agressivité. Il se niait comme personne, mais surtout comme homme, en refoulant tous les aspects de lui qui pouvaient lui rappeler ses racines d'homme. Il était devenu ce qu'on appelle un homme rose qui tentait de manifester de l'ouverture à la communication et aux émotions de douceur, un homme proche des femmes et en accord avec la cause du féminisme, même s'il n'y croyait pas vraiment. À travers ce comportement de refoulement et de négation de lui, il recherchait inconsciemment l'amour et l'acceptation des autres plutôt que de rester fidèle à ce qu'il ressentait. Il cherchait à ignorer la souffrance de son jugement et de sa culpabilité. Ainsi il se fourvoyait, perdait le sens de qui il était vraiment, c'est-à-dire son identité d'homme provenant de l'identification inconsciente aux premiers modèles d'homme qu'il avait connus : son père et ses frères. Il avait cependant intégré certaines de leurs valeurs, car ils avaient tout de même été les modèles qui lui avaient servi à construire sa personnalité, avec ses qualités et ses défauts. Cette assimilation sans ségrégation est une loi de la vie, imparfaite mais humaine. Par ailleurs, ce refus de se reconnaître à travers eux et de les reconnaître à travers lui l'empêchait de voir qu'il était aussi une personne distincte, et ça il n'y avait plus accès. En refusant de s'accepter tel qu'il était — un mâle semblable à eux —, il devenait très vulnérable aux agressions extérieures puisque dépouillé de son agressivité. Il cherchait à l'extérieur une autre façon d'être pour masquer le mâle en lui. Il devenait un homme très confus et il lui était alors impossible de renforcer son identité sexuelle en développant ses capacités d'affirmation et d'autonomie à partir de son ressenti et de ses émotions. Il s'entretenait ainsi dans un refus de l'émotivité parce qu'il refoulait ou transformait ses émotions agressives. Pour bien illustrer mes dires, je vais relater un événement qui s'est passé lors d'un week-end de formation auquel Patrick a participé. ■

CAS VÉCU

QUAND J'EXPRIME DE L'AGRESSIVITÉ, JE SUIS MAUVAIS !

Durant ce week-end, Patrick tenait beaucoup à présenter un personnage d'homme rose, doux et réfléchi, et ce, pour être aimé. Il cherchait à cacher son agressivité car il la jugeait très néfaste. Lorsqu'il ressentait un tel sentiment, il coupait toute relation et analysait les faits. Il justifiait ses pensées et ses agissements ou il jugeait les autres pour ensuite s'enfoncer dans une culpabilité autodestructrice. Voici ce qu'il m'a raconté. Un après-midi où il avait à s'exprimer en groupe, il remarqua qu'un participant était inattentif pendant qu'il parlait. Sa colère se déclencha et ne tarda pas à exploser. Il se permit, pour une rare fois, de lui demander haut et fort de lui porter attention. C'est alors qu'en ouvrant la porte à son agressivité il étendit à deux autres participants du groupe cette émotion, qu'il avait retenue tout au cours de l'année. Cela lui fit du bien et il fut soulagé de ne plus taire ce sentiment. Cependant, lorsqu'il entendit par la suite leur peine, leur dérangement et leur colère, il s'effondra sous le poids de la culpabilité. Pour lui, contrairement à la majorité des participants qui l'avaient vu solide et positif, il avait été méchant et c'était inacceptable. Il regretta son comportement et chercha à s'isoler : il voulait se détruire. Pour la première fois depuis très longtemps, il s'était permis d'exprimer ouvertement sa colère. Sa peur du rejet, jumelée à ses propres jugements sur la colère, l'amena à balayer son affirmation précédente et à se culpabiliser. Rapidement, il retourna à son image de garçon doux, privé à nouveau de sa capacité d'affirmation et d'une partie de ce qu'il est, c'est-à-dire de son agressivité. ■

Dans le développement de la personnalité (individualité = individu d'instinct), le travail ne consiste pas à refouler, contrôler et cacher les émotions mais plutôt à apprendre l'acceptation et la gestion des émotions que l'on juge inacceptables, et ce, dans le but d'en trouver le sens et de s'en libérer d'une façon constructive pour soi et pour son entourage. D'une part, l'homme pourra éviter la confusion et renforcer son identité humaine globale, autant féminine que masculine. D'autre part, lorsqu'il se défendra de ses émotions d'agressivité et de sensibilité en s'en coupant, il deviendra en manque d'identité d'homme et d'être humain. Il risquera alors de rechercher l'approbation de l'extérieur pour savoir qui il est et comment il doit agir. L'adolescent ou l'adulte cherchera ainsi à trouver à l'extérieur de lui ce que c'est d'être un homme plutôt que de suivre ses émotions et ses sentiments et de se reconnaître ainsi comme homme. Il aura tendance, dans ce deuxième exemple de culpabilité, en rapport avec son agressivité, à développer des masques d'anti-virilité.

L'affaiblissement et la confusion de l'identité chez l'homme résultent de ce fonctionnement « d'identification en négatif » à sa mère dans un premier cas ou à son père dans un second. L'homme, par cette réaction négative et le rejet de ses émotions et de ses attitudes, peut être assimilé à une personne qu'il juge et à qui il ne veut pas ressembler; il finit ainsi par perdre le sens de qui il est vraiment. Lorsqu'un homme réagit contre sa mère, c'est son identité d'humain qu'il perd, et, lorsqu'il réagit contre son père, c'est son identité sexuelle de mâle qu'il perd. En tout dernier lieu, d'une façon encore plus triste et plus déplorable, la personne qui refuse complètement de s'identifier à ses deux parents aura une identité et une personnalité encore plus fragiles, car elle n'accepte rien de ce qu'elle est. Elle risque d'être envahie par la honte et de développer une personnalité caméléon, c'est-à-dire de porter un masque en toute occasion, cela bien sûr d'une façon souvent inconsciente. Plus il y a de parties d'elle-même qu'elle n'accepte pas, plus son identité est confuse et fragilisée.

Je fais ici la distinction entre une identité affaiblie par la confusion et une personnalité ferme, car on pourrait croire suivant mon raisonnement qu'un homme qui s'affirme haut et fort a une identité forte, ce qui n'est pas nécessairement le cas. On pourrait être en présence de ce qu'on appelle une forte personnalité, c'est-à-dire une tendance à prendre beaucoup de place et de pouvoir, un besoin d'être vu qui amène la personne à parler fort et à vouloir qu'on adopte ses idées. Celui qui aspire à tout cela n'a cependant pas nécessairement une identité forte, c'est-à-dire qu'il n'est pas toujours en contact avec ses émotions profondes, ses besoins affectifs réels, ses peurs et ses limites. Il risque de devenir un être dominateur pour les gens qui n'affirment pas leur identité. Le ton de la voix est plus en lien avec le besoin d'être vu, entendu, reconnu, et la peur de ne pas l'être qu'en lien avec la force de l'identité. J'ai souvent entendu des hommes parler haut et fort, clamer leur point de vue, mais, pour employer une expression de Colette Portelance, « être souvent tout petit en dedans d'eux ». La force de l'identité trouve sa racine dans la capacité à être en contact avec ses émotions, non dans les décibels avec lesquels elles sont exprimées.

Quant à l'identité forte, si nous suivons le raisonnement expliqué précédemment, il est l'attribut de l'homme qui accepte très bien ce qu'il est, autant ses émotions féminines que masculines. Il ne doutera pas de ce qu'il pense, sera en paix avec les modèles maternel et paternel; il ne ressentira pas le besoin d'élever la voix pour se sentir respecté, sauf lorsqu'on tentera de le dominer ou de l'envahir. Il saura faire des choix en fonction de son bien-être. C'est ainsi qu'Yves, par exemple, n'est pas rongé par le doute et l'humiliation lorsqu'il exprime une blessure, ou n'est pas mal à l'aise lorsqu'il regarde passer une femme qui l'attire.

Quant à moi, suite à un long cheminement personnel, je parviens à refuser beaucoup plus facilement la confrontation virile lorsque je me sens provoqué, ce qui serait justement un palliatif au manque d'identité, une recherche continuelle à me prouver que je suis un « vrai mâle ».

Cependant, il faut bien comprendre que l'homme qui s'est identifié d'une façon positive à son père, lui-même porteur d'un masque, et qui a de la difficulté à être en contact avec ses émotions, cet homme-là, en paix avec son modèle de père et d'homme, ne sera pas nécessairement en contact avec ses émotions profondes, avec son identité humaine et authentique : il lui manque les émotions reliées à sa partie féminine.

Son avantage sera de ne vivre ni doute ni déchirement quant à sa polarité masculine. Cependant, il sera souvent mal à l'aise face aux gens qui expriment de la sensibilité, de la souffrance, des difficultés et de l'émotivité. Il est plus difficile pour cet homme de s'ouvrir, car il se réconforte avec son modèle d'homme fermé ou masqué par la virilité. Pour lui c'est ainsi que doit être un homme, et c'est aux autres à s'ajuster, particulièrement les femmes et les hommes « moins mâles », moins « vrais ».

En conclusion, si l'identification n'est pas acceptée, si l'adolescent ou l'adulte refuse de lui-même toute émotion et toute attitude le ramenant à l'un ou l'autre de ses parents, son identité en est affaiblie. Plutôt que d'apprendre à se connaître, à s'écouter, à s'accepter et à s'affirmer tel qu'il est en tant qu'humain, il changera d'une façon inconsciente ses émotions et ses attitudes en des émotions plus acceptables, mais fausses. Lorsque le garçon refuse de s'identifier à sa mère, il transforme ses émotions féminines telle la peine en une émotion plus virile telle l'agressivité, ou encore il transforme sa sensibilité en rationalisation, ce qui lui donnera le sentiment d'être un homme. Si par contre il refuse de s'identifier à son père, il sera envahi par la culpabilité chaque fois qu'il démontrera de l'agressivité ou de l'indépendance, comme son père le faisait. Il transformera ses attitudes mâles en des gestes plus féminins telles une fausse douceur et une fausse empathie, qui serviront de racine aux masques d'anti-virilité.

Le refus d'accepter l'identification qui s'est naturellement faite affaiblit l'identité en rendant confus le ressenti; l'acceptation de l'identification à un modèle qui masque lui-même ses émotions engendre chez l'homme de demain une prédisposition à se masquer lui-même, à masquer ce qu'il est vraiment et ce qu'il ressent.

Voici un exercice qui favorisera la conscience du niveau d'acceptation de vos émotions.

EXERCICE DE RÉFLEXION

Cet exercice de réflexion vous aidera à prendre conscience du résultat de votre propre processus d'identification aux modèles. Il vous permettra de répondre aux questions : « À qui vous êtes-vous identifié dans la façon de vivre vos émotions et vos attitudes ? » Acceptez-vous cette identification ? Pour chaque thème, vous devez indiquer s'il s'agit d'une attitude ou une émotion qui vous sont propres et que vous acceptez de vivre ou de montrer. À qui cela vous ramène-t-il ? Quelles émotions cela vous fait-il vivre ?

Exemple : **la peur**

– Je n'accepte pas de la montrer aux autres, de l'exprimer.

– Cette émotion me ramène à l'identification à ma mère, à la femme, à être une femme.

– La montrer, ou penser la montrer, me fait vivre la honte et la peur d'être ridiculisé.

Peur : _____

_____

_____

Peine : _____

_____

_____

Colère : _____

_____

_____

Jalousie : _____

_____

Inquiétude ou insécurité : _____

_____

Impatience : _____

_____

_____

Sociabilité par gentillesse et attentions aux autres : _____

_____

_____

Timidité en société : _____

_____

_____

Agressivité : _____

_____

_____

Violence verbale : _____

_____

_____

Violence psychologique : _____

_____

_____

Intolérance à la vulnérabilité, à la faiblesse et aux différences :

_____

_____

Bouderie : _____

_____

_____

Communication : _____

_____

_____

Non-communication : _____

_____

Réactions impulsives défensives : _____

_____

_____

Réactions émotives spontanées : _____

_____

_____

Attitudes de contrôle sur les autres : _____

_____

_____

Fermeture : _____

_____

_____

Attaques verbales : _____

_____

_____

Indifférence : _____

_____

_____

Indépendance : _____

_____

_____

Isolement : _____

_____

Culpabilisation : _____

_____

_____

Autoculpabilisation : _____

_____

_____

Jugement : _____

_____

_____

Commérage : _____

_____

_____

Valorisation de soi : _____

_____

_____

Monopolisation de l'attention : _____

_____

_____

Spontanéité : _____

_____

_____

Rire : _____

_____

_____

Je vous encourage dans les prochains jours à vous observer et à observer vos parents, votre famille, votre entourage, et
ce, pour voir les émotions ou les attitudes que vous êtes mal à
l'aise de montrer ou dont vous n'aimez pas être témoin, pour
ainsi compléter votre liste afin de vous connaître davantage.

Maintenant, dans cette seconde étape, vous faites d'un côté le constat de vos émotions et de vos attitudes que vous acceptez le plus facilement, et de l'autre le constat de celles que vous acceptez plus difficilement.

Liste de mes émotions et de mes attitudes que je n'accepte pas bien

_____

_____

_____

_____

_____

_____

_____

Liste de mes émotions et de mes attitudes que j'accepte assez bien

_____

_____

_____

_____

_____

_____

_____

Maintenant, établissez à qui vous acceptez le plus de ressembler, à votre père ou votre mère. Quel profil, masculin ou féminin, acceptez-vous le plus de montrer ? La réponse vous indiquera quels masques peuvent résulter de vos mécanismes de défense, mécanismes qui servent à cacher cette partie de vous que vous n'acceptez pas. Par exemple, si vous acceptez plus vos attitudes et émotions masculines (identification à votre père), vous risquez d'avoir développé des masques de rationalité ou de dureté. Si vous vivez des émotions dites féminines, si vous acceptez davantage vos attitudes et vos émotions féminines (identification à votre mère), vous risquez de développer des masques d'anti-virilité lorsque vous ressentez des émotions ou adoptez des attitudes masculines. Voilà qui introduira la prise de conscience des masques.

Nous verrons au prochain chapitre, intitulé « Le conditionnement social et l'identité masculine », pourquoi le jeune garçon accepte la mise en place des masques. Quelles sont les valeurs qui sous-tendent le masque aussi solidement ? Comment le conditionnement social masculin exerce-t-il une emprise sur les hommes, malgré le fait qu'être un « vrai homme » soit néfaste, autant pour la santé psychologique et physique que relationnelle ?

Chapitre 3

LE CONDITIONNEMENT SOCIAL ET L'IDENTITÉ MASCULINE

Nous avons vu au deuxième chapitre que l'affaiblissement de l'identité chez les hommes les a amenés à développer un masque en s'interdisant de ressentir certaines émotions. Cette interdiction crée de la confusion dans les émotions, résultat du refus d'accepter ou de reconnaître l'identification à un ou aux deux parents, et enclenche le processus de structuration du masque. Cette confusion amène un refus et un oubli de soi, des émotions réelles qui seront alors transformées en une émotion ou une attitude que l'homme jugera plus acceptable. Voici un exemple : Serge cachait la souffrance d'avoir perdu sa conjointe par une agressivité défensive et une fausse froideur. Il se coupa de ses émotions réelles, entretint la faiblesse de son identité et ne combla pas son besoin d'amour. Il recourut par la suite à la mise en place d'un masque de dureté pour camoufler sa réalité.

Des expériences plus ou moins négatives s'ajoutent au processus d'identification positif et d'identification négatif pour structurer le silence des hommes. Ces expériences les assureront de bien suivre les modèles donnés, de rester sur l'autoroute de la virilité et de ne pas trahir les aînés. Le silence des émotions et de la sensibilité chez les hommes s'intègre en bas âge, d'une façon marquante et même traumatisante pour certains.

Ce silence est provoqué par certaines attitudes de son entourage, qui ne reconnaît pas la nature vulnérable, émotive et sensible du jeune garçon et même la dénigre à certains moments.

Il est parallèlement provoqué par la dévalorisation de l'émotivité et la surestimation des attitudes de virilité. Cela risque de créer chez l'homme en devenir une identité confuse, affaiblie et atrophiée lorsqu'il se coupe de cette partie de lui, ce qui le rendra poreux au conditionnement social. Par ses attitudes défensives pour cacher sa nature sensible, il risquera en vieillissant de confirmer ses tendances à la non-expression de la sensibilité et de les perpétuer, ce qui malheureusement cristallisera ses masques et le rendra inapte à vivre ses émotions d'une façon plus authentique et plus humaine.

Au cours de mon étude, je me suis très vite intéressé à la notion de conditionnement. Par souci d'une réponse réfléchie et approfondie, je me suis longuement questionné à savoir pourquoi nous acceptions de poser des gestes et de dire des paroles qui vont à l'encontre de notre bien-être.

> *Pourquoi acceptons-nous de nous conditionner à certaines règles et à certaines valeurs qui sont en contradiction avec nos besoins et avec ce que nous sommes ? Quelles sont les forces qui nous poussent à taire*

> *nos émotions, détruisant ainsi no-*
> *tre santé et amputant notre qualité*
> *de vie, comme le démontrent*
> *d'ailleurs les statistiques sur la*
> *santé des hommes ?*

Pourquoi aussi l'homme continue-t-il à nier et à taire sa sensibilité ? L'hypothèse avancée en février 1998 lors d'un colloque mondial sur la santé des hommes reconnaît le silence masculin comme principal responsable de l'écart de santé entre les hommes et les femmes. Finalement, pourquoi l'homme refoule-t-il et cache-t-il ses émotions en sachant très bien que la négation d'une partie de sa nature humaine affecte sa santé physique et psychologique et le prive de relations plus riches ?

CAS VÉCU

PHILIPPE A PEUR DE PASSER POUR UN PLAIGNARD

Philippe me disait que, s'il s'était vraiment écouté plutôt que d'écouter sa peur d'être jugé « plaignard », fragile et faible, il n'aurait jamais accepté de recevoir sa famille à la dernière fête de Noël. Il aurait plutôt admis son incapacité physique et morale à répondre aux exigences de la situation. Mais suivant ses valeurs d'homme fort et responsable, qui allaient à l'encontre de son besoin de repos, il ne pouvait se résoudre à annuler la fête. Il avait peur de se sentir coupable et d'être jugé faible. Comme plusieurs, Philippe obéit à sa peur plutôt qu'à son besoin. C'est en portant amèrement un masque de gentillesse et de force morale qu'il a dépassé ses limites physiques. Pour cette raison, il sera fatigué pendant de nombreux jours après la réception, restera aigri et agressif envers certains membres de sa famille. ■

CAS VÉCU

JEAN-PIERRE ET SA DIFFICULTÉ À MONTRER SON AMOUR ET SA PEINE

Jean-Pierre me disait n'avoir rien révélé de sa peine lorsque la femme qu'il aimait l'a quitté, et ce, par conditionnement, habitude et impuissance à pouvoir communiquer sa sensibilité. Il resta muet devant cette femme, qui n'en pouvait plus du manque de communication dans son couple. À force d'être silencieux, il ne savait plus comment lui exprimer sa peine; il avait peur d'avoir encore plus mal. Il préféra alors l'orgueilleux silence à l'humble expression de ses émotions et de ses besoins.   ■

CAS VÉCU

PATRICE ET SA DIFFICULTÉ À DEMANDER DE L'AIDE

Lorsqu'il a perdu son emploi, Patrice s'isola pendant près de six mois dans son sous-sol, devant son téléviseur et avec sa bière comme seule compagne, sans dire un mot à sa famille sur la honte et la souffrance destructrice qui le hantaient. Sa conjointe se rongeait d'inquiétude et ses enfants étaient perturbés. Patrice avait peur d'être déchu à leurs yeux. Il ne voulait pas les inquiéter ni s'abaisser à ressentir et à exprimer son besoin d'aide. Son silence entraîna ainsi des conséquences plus désastreuses que s'il avait été ouvert aux siens sur ses problèmes.   ■

La réponse au silence des hommes peut à première vue sembler évidente. J'ai tenu malgré tout à l'approfondir. Je voulais être en mesure de reconnaître ce phénomène dans ma vie personnelle. J'espérais intégrer cette connaissance sur la façon de taire ce que je suis réellement, de privilégier une attitude fausse mais plus conforme à mes yeux aux attentes de l'extérieur, et ce, au détriment de mon

authenticité. Ce questionnement m'a dirigé vers le phénomène du conditionnement social. Les définitions qu'en
donnent *Le Petit Robert* et le *Larousse de psychologie* sont très
explicites.

Le Petit Robert définit le conditionnement comme une :
« action provoquant artificiellement des réflexes et, par
extension, une accoutumance ». Il s'agit d'un « processus d'acquisition d'un réflexe conditionné ». Le *Larousse
de psychologie*, pour sa part, définit le conditionnement
comme suit : « l'ensemble des opérations associatives par
lesquelles on arrive à provoquer un nouveau comportement chez l'animal ou chez l'homme ».

> **Conditionner, c'est changer la per-
> sonne (ses pensées, ses réactions,
> ses attitudes et ses comportements)
> à partir d'une influence extérieure.**

Comme dans les expériences de Pavlov, le conditionnement des réflexes et des comportements sur les animaux,
et même sur les humains, puise sa force ou sa faisabilité
dans le principe du plaisir ou du déplaisir, allant même
jusqu'à la souffrance et à la mort. Pour que le comportement conditionné soit accepté par un individu, il doit être
lié à un gain (plaisir) ou à un effet négatif (déplaisir). Un
gain peut être associé à l'amour, à l'acceptation, à la valorisation, à la nourriture ou à une simple caresse. Un déplaisir
peut être constitué de coups, de chocs électriques, d'humiliations ou de rejets. Le plaisir relié au silence émotif
des hommes provient de l'approbation reçue, de la reconnaissance, de la valorisation, de la sécurité qu'ils ressentent lorsqu'ils appliquent les principes masculins que sont
la dureté et la rationalité. Le déplaisir provient quant à lui

de l'humiliation et de la violence, autant psychologique que physique, subies lorsqu'ils expriment leur sensibilité et leur émotivité. On peut donc conditionner au moyen de punitions ou de récompenses.

Comme nous l'avons vu au chapitre précédent, les modèles sont aussi de puissants moyens de conditionnement. On valorise un stéréotype et on le présente aux jeunes garçons, par exemple sous la forme d'un héros inhumain, heureux et accompli. Il s'agit là d'un modèle irréaliste, qui exagère les valeurs de virilité, de rationalité ou de dureté. On leur transmet ces valeurs par le biais de la publicité, des sports, des bandes dessinés, d'une vedette, etc. On prend bien soin de ne présenter qu'une facette de la personnalité de ce héros, qui devient l'identité type de l'initié. Tel un peuple en quête d'une identité et d'une fierté, les jeunes garçons tenteront de suivre son exemple. Ils penseront pouvoir être heureux en ne tenant compte que de cette image de virilité, ce qui est faux, illusoire et impossible. La publicité crée depuis longtemps des modèles qui laissent croire aux gens que les valeurs véhiculées par le héros leur apporteront le bonheur. Le héros leur donnera le goût d'adhérer aux valeurs associées à son comportement; ils voudront consommer la même chose que lui (voiture, alcool, parfum, cigarettes, sport, etc.) et adopter le même comportement que lui, ce qui leur donnera le sentiment de posséder son assurance, sa force, sa liberté, etc., ce qui ne correspond en rien à la réalité. C'est ainsi que l'on tente — le mot n'est pas assez fort — de substituer le masque de virilité à l'identité réelle et que l'on maintient encore une fois l'initié sur l'autoroute de la virilité. Pour que l'adolescent et l'adulte acceptent d'adhérer à ces fausses valeurs, il a fallu préparer le terrain de longue date, en fait depuis la petite enfance, ce qui me ramène à une scène dont j'ai été témoin dans un restaurant.

CAS VÉCU

SOIS DUR EN TE COUPANT DE TON CORPS

Lorsque ma fille avait six ans, j'allais régulièrement chez McDonald pour qu'elle s'amuse dans le parc d'attractions intérieur. Je l'entendais régulièrement se plaindre de maux de cœur et de ventre. J'en ai déduit que c'était la conséquence de la nourriture ingurgitée entre les sauts et les courses. Puis, dans le but d'éviter d'être encore malade, ma petite fille a sagement décidé de manger un peu avant et un peu après avoir joué tout en essayant de moins s'énerver dans les jeux. Ce qu'elle fit. Quelque temps après, nous étions attablés à ce « fast-food », lorsqu'à la table voisine j'entendis une mère mettre en garde son jeune garçon. Elle lui disait de ne pas aller trop vite dans les jeux pour éviter d'être encore malade. Le père, qui était assis à côté, leva le nez de son journal et dit à sa femme : « Ben voyons donc ! Laisse-le faire, tu vas en faire une tapette ! » C'est ainsi, par exemple, que cet enfant, comme bien des hommes avant lui, apprendra à ne pas écouter et respecter son corps. Par peur d'être vu comme un faible, d'être humilié ou ridiculisé et de se féminiser, il se conditionnera physiquement à cette valeur masculine de dureté. La suite fut révélatrice. L'enfant s'arrêta et chercha l'attention de son père, mais en vain; ce dernier avait déjà remis le nez dans son journal. Le petit garçon se retourna vers sa mère comme pour tenter de retrouver la voie à suivre. Devant le silence de celle-ci, il se remit à courir à toute vitesse dans les jeux. Il avait alors probablement choisi de ne pas devenir une « tapette », pour employer l'expression de son père. Sans probablement savoir ce que ce mot signifiait, il en avait sûrement ressenti le ton méprisant. Je ne pouvais deviner ce qui s'était passé dans la tête de l'enfant; je n'ai pu qu'entendre cette parole de dénigrement, observer son changement d'attitude et m'imaginer les nombreux autres gestes et paroles quotidiens préconisant les valeurs de virilité à la maison. ■

John Bradshaw affirme dans son livre intitulé *S'affranchir de la honte* que, rendu à la fin de l'adolescence, tout le monde a entendu ou vu pas moins de 20 000 fois des paroles ou des gestes qui conditionnent. Ce type de conditionnement et de messages fixera chez les jeunes garçons des masques de virilité et de dureté.

CAS VÉCU

LA PEUR DE SA PROPRE COLÈRE PEUT ENGENDRER LA VIOLENCE

Lorsque Patrice remonte à son enfance, il y retrouve un exemple de l'influence du conditionnement par rapport à la non-expression de la colère. Cette fois-là il était très irrité contre sa sœur.

Il avait déjà assisté à des batailles entre ses frères, et entendu ses sœurs et sa mère parler contre les attitudes destructrices et agressives de son père. Ayant personnellement subi la violence de la part de son frère aîné, il avait interprété que l'agressivité était néfaste et dangereuse et il la confondait avec la violence.

Sa sœur avait l'habitude de le taquiner et le ridiculiser, comportement que l'on retrouve assez fréquemment dans les familles. Patrice était le benjamin, donc en situation d'infériorité; ayant peur du conflit, du ridicule, il avait enregistré toute la culpabilité reliée à l'agressivité, refoulé son malaise de se sentir rabaissé. Sa douleur s'était ainsi transformée en colère. Devant son silence et la colère qu'il retenait, sa sœur avait continué de plus belle. Cette frustration s'accumula jusqu'à ce qu'il éclate et devienne violent.

Lorsqu'il a explosé, dans le but d'évacuer la colère qui l'étouffait et avec le désir illusoire de se faire respecter, son père, ne sachant communiquer, l'a frappé et enfermé dans sa chambre. Pour Patrice, la punition a été plus souffrante que les coups eux-mêmes. Il n'arrivait plus à discerner le bien du mal et avait l'impression de ne plus être aimé globalement. À son sens, son agressivité était responsable de ce rejet. Il se sentit ainsi humilié, exclu et coupable. Dans cet exemple, on peut faire un lien avec le déplaisir du conditionnement; la punition, le rejet, l'humiliation et la culpabilité représentent le déplaisir qui encourage Patrice à ne pas vivre son agressivité. À ses yeux, montrer son agressivité équivalait à recevoir des coups et à être mis à part. Cette expérience le conduisit à refouler, à nier encore plus son agressivité. C'est ainsi que, par peur d'être violenté, humilié et puni, il n'a jamais voulu exprimer ses blessures qui, une fois comprimées, s'étaient transformées en violence envers sa sœur. ■

> *Ce type de conditionnement prépare le jeune garçon à mettre des masques d'anti-virilité, de fausse douceur, et à se couper de son agressivité et de son affirmation.*

CAS VÉCU

PLEURER, C'EST ÊTRE « MOUMOUNE »

Je me souviens d'une situation relative au conditionnement social mettant en relief l'acceptation de ma sensibilité. Dans mon quartier, lorsque j'étais enfant et que je pleurais, mes frères et les gars plus vieux me traitaient régulièrement de « moumoune » et de petite fille. Ils me disaient alors d'aller rejoindre mes sœurs ou les autres filles. Ça me blessait et m'humiliait beaucoup. Voilà le déplaisir qui me conditionnait à ne plus pleurer, à ne plus me montrer vulnérable, devant mes frères et devant tous les hommes. J'ai choisi à ce moment-là de faire le dur en me montrant agressif ou en colère en cas d'attaque; c'est ce que j'avais appris de mes deux frères et des gars plus vieux du quartier. Leur exemple a contribué à mon conditionnement de dureté face aux autres hommes.   ■

CAS VÉCU

BERTRAND ET L'INITIATION À LA DURETÉ

Un autre exemple serait celui de Bertrand, qui a beaucoup souffert d'être un enfant timide et peureux. Il n'avait jamais accepté sa nature insécure, s'était toujours senti diminué comme homme. Aussi s'était-il bien promis que son garçon ne vivrait pas la même souffrance. Il l'encouragea donc à devenir agressif et même violent, et le dévalorisait dans le cas contraire. Il voulait qu'il prenne des cours de karaté et de judo. Il oublia que là où son fils développait le plus son insécurité et son manque de confiance en lui, c'était dans sa relation avec lui. Le garçon risquait d'apprendre la violence plus que l'affirmation, de développer le manque d'estime et de confiance en lui plus que la valorisation nécessaire à la force d'affirmation. Par exemple, Bertrand lui répétait souvent : « Ne touche pas à ceci, ne fais pas cela : tu vas le briser ! Tu n'es pas capable de le faire. » De plus, l'enfant voyait son père agir de la sorte avec sa conjointe. Au lieu d'exprimer son insécurité, Bertrand manifestait de la colère et se façonnait un masque qui l'amena à devenir « contrôleur ». Il faisait tout lui-même plutôt que d'enseigner à son garçon, par exemple, comment fonctionne la vidéo ou comment se servir d'un marteau. Il agissait ainsi pour se sécuriser mais, par le fait même, empêchait les membres de sa famille de développer leur confiance et leur autonomie. Dans le cas de Bertrand, la colère, la violence verbale et physique, ainsi que le modèle de relation des parents engendraient le déplaisir qui participait à conditionner son fils à taire sa sensibilité et surtout ses insécurités. Bertrand avait toujours cherché à présenter une fausse dureté dans le but d'être valorisé par son père, de lui plaire en ressemblant à l'image du vrai homme qu'il projetait. ◼

CAS VÉCU

« T'ES BEN PAREIL COMME TA MÈRE ! »

J'ai été récemment témoin d'une scène très révélatrice en ce qui concerne la transmission père-fils du silence de la vulnérabilité. J'étais en voyage de groupe et nous faisions une activité à risque. C'était au tour du fils de l'un des hommes présents à s'exécuter. Il exprima de la peur et de la nervosité, ce qui déclencha aussitôt chez le père ce commentaire moqueur : « T'es bien pareil comme ta mère ! » ce qui sous-entendait : « Tu n'es qu'un peureux, tu n'es pas un vrai gars. » Cet homme, qui a intégré l'importance des valeurs de virilité d'où sont absentes les émotions dites féminines de peur et de vulnérabilité, transmet ces mêmes valeurs à son fils en le comparant à sa mère. Il entretient chez son fils la honte d'avoir des peurs et met en doute son identité d'homme, plutôt que de reconnaître (au lieu d'en être honteux) que la peur est tout aussi normale chez l'homme que chez la femme, et de l'encourager à la dépasser. Dans cet exemple, il y a une comparaison sous-entendue avec les deux frères du garçon, qui ont passé le test de virilité sans manifester de peur et même en riant du danger qui était pourtant réel. ◼

J'ai donné précédemment des exemples de conditionnement qui encouragent la fausse douceur et la dureté, la virilité par la force et l'insensibilité physique, qui sont à la base des masques d'anti-virilité ou de virilité. Dans l'exemple suivant, j'illustrerai la racine des masques d'anti-émotivité, c'est-à-dire ceux qui dénigrent l'émotivité au profit de la rationalité.

CAS VÉCU

« ÊTRE ÉMOTIF, C'EST ÊTRE MALADE ! »

Je me souviens d'un jour — je devais avoir cinq ans — où ma mère avait été hospitalisée. J'ai bien en mémoire la scène suivante. Mon père nettoie le réfrigérateur et tente de m'expliquer tant bien que mal que ma mère est plus fragile, plus faible, car elle est trop émotive; c'est la raison pour laquelle elle fait des dépressions. Cherchait-il à me consoler et à me rendre compréhensif envers ma mère ? Je ne m'en souviens pas; par contre, je me rappelle très bien avoir retenu ceci : être émotif, c'est être faible et ça peut nous amener à faire des dépressions et à être hospitalisé. Vous comprendrez alors pourquoi par la suite, comme d'ailleurs bien des hommes éduqués dans un milieu rationnel et dépourvus d'expression émotive, j'ai tenté résolument d'être logique, de repousser mon émotivité en la rationalisant le plus possible, bien que cela aille à l'encontre de ma façon naturelle d'être. ∎

Ce sont de tels gestes et de telles paroles qui mettront en place chez l'homme les masques d'anti-émotivité et qui créeront le conditionnement. Le jeune garçon apprend à avoir honte de ses émotions, de sa sensibilité et de sa vulnérabilité, au point de les cacher pour les transformer en attitudes de dureté ou de rationalité. Cela se fait en relation avec l'entourage. Sur le plan social, c'est aussi par l'humiliation subie lors d'un rejet par un groupe que l'enfant apprend à correspondre aux lois du milieu et à s'y conditionner.

CAS VÉCU

RONALD ET LE CONDITIONNEMENT À ÊTRE DOUX

Je peux ajouter à cela un exemple de conditionnement par le renforcement positif. Ronald me racontait que, lorsqu'il était enfant, sa mère le valorisait, l'embrassait et lui donnait de l'importance quand il était gentil, doux, et répondait à ce qu'elle demandait. Ce qui n'est pas mal en soi. Cependant, Ronald, qui vivait du rejet lorsqu'il ne correspondait plus à cette image de bon garçon, se mit à survaloriser chez lui ses attitudes de gentillesse, et ce, au point de mettre de côté ses émotions dites plus « négatives » telles l'agressivité, l'impatience et la jalousie. À l'âge adulte, il trouva dans la boisson la libération de ses interdits. Devenu alcoolique, il se coupait de sa culpabilité et libérait les émotions refoulées en faisant de violentes colères. Il pouvait enfin vivre la partie enfouie de ses émotions. ■

CAS VÉCU

« PLUS VIOLENT, PLUS VALORISÉ ET AIMÉ ! »

Voici un dernier exemple de conditionnement par la reconnaissance et la valorisation. Lorsque j'étais enfant, j'étais très reconnu dans mon quartier et porté à nu pour mes qualités de leader et d'athlète, que ce soit dans les sports ou les bagarres. À la maison, devant mes frères, j'avais peur et je me soumettais; mais dans la rue, j'étais le roi. J'étais devenu un symbole de protection pour ceux qui faisaient partie de ma « gang ». Je me souviens particulièrement d'une journée où nous jouions au hockey. Un de mes amis arriva en courant et me dit qu'un nouveau dans le quartier avait menacé de lui « casser la gueule ». Tout le monde se tourna vers moi; c'était automatique. Sans réfléchir, sans dire un mot, je partis à la course rejoindre ce nouveau « gars » du quartier. Sans hésitation, je lui sautai dessus. En un rien de temps, nous étions entourés d'un groupe dont une partie me criait d'arrêter, et l'autre de ne pas lâcher. Ce sont ces derniers particulièrement que j'entendais. Pourtant, je n'aime pas la violence et je déteste faire mal. À cette époque, la force me procurait tellement dans la rue; j'étais valorisé et reconnu à un point tel que je n'entendais ni mes malaises, ni la souffrance de l'autre, ni les gens qui me demandaient de mettre fin à telle ou telle bagarre. Je me sentais comme au milieu d'un stade, devant une foule qui scandait mon nom pour stimuler ma performance. Ce jeu a débuté lorsque j'étais très jeune et s'est répété de nombreuses fois. Voilà comment ce conditionnement à la violence et à l'agressivité s'est ancré en moi par la valorisation. J'étais dur et parfois violent parce que je recherchais cette reconnaissance qui comblait mes difficultés à me donner de la valeur. Dans ma famille j'avais appris que le plus fort, le plus dominateur c'était le « vrai homme », et l'autre la femmelette... Par peur de me sentir humilié et dominé, je devais gagner et la violence m'en donnait la chance à cause de mes qualités athlétiques. Je devins même dans certains cas un héros ou modèle pour les plus jeunes du quartier. Nous sommes ici en présence d'un exemple où le conditionnement de la famille immédiate est renforcé par le conditionnement social, ce qui est fréquent.   ■

La peur de recevoir des coups, les expériences humiliantes et la survalorisation de l'agressivité et de la violence ont été pour beaucoup d'hommes la source de la coupure avec leur sensibilité et leur vulnérabilité. De tels comportements jouent un rôle important dans la transmission de ces fausses valeurs qui indubitablement conditionnent la personne. Ce sont des valeurs qui ont contribué à déterminer ce que sont « les vrais hommes », des valeurs léguées de père en fils par le processus d'identification au modèle d'homme présent durant l'enfance. Ce sont aussi des valeurs généralement appuyées par la société, des valeurs véhiculées dans les médias à propos des fils et des hommes de demain. Les fausses valeurs « introjectées » sur ce que c'est d'être un homme, et surtout sur ce qu'il ne faut pas faire pour rester un « vrai homme », risquent fort de fixer des balises à l'identité de nos fils, et de malheureusement les entretenir dans un fonctionnement psychologique qui réponde davantage à leurs peurs et à leur orgueil qu'à leurs besoins. Ces expériences de transmission laissent dans certains cas des traces souvent invisibles au regard peu averti, mais demeurent malgré tout bien enregistrées comme valeurs appelées « introjections », valeurs qui vont à l'encontre de la sensibilité et de l'authenticité.

> *Les valeurs de virilité chez l'homme sont souvent en opposition avec sa sensibilité, ce qui le laisse devant un vide affectif, un manque de sens à sa vie, une insatisfaction et une dépendance qui peuvent engendrer la violence, la dépression, et même le suicide.*

On retrouve souvent chez les hommes ces règles et ces fausses valeurs de virilité, c'est-à-dire de dureté, de rationalisation ou d'anti-virilité, qui gèrent leurs comportements et leurs attitudes. Plus l'identité est confuse et affaiblie chez l'homme par l'atteinte à sa confiance en lui, plus l'extérieur aura d'importance à ses yeux. Il misera davantage sur l'image qu'il donne que sur ce qu'il ressent. Cette attitude amène souvent l'individu en recherche d'approbation à s'approprier ces introjections. Voici ce qu'en dit Colette Portelance :

> L'introjection est une greffe qui empêche l'individu de découvrir et de manifester sa véritable personnalité. Habité par des jugements, des principes, des valeurs, des croyances qui ne lui appartiennent pas, et qu'il a adoptés pour ne pas perdre l'amour de ses parents, il ne parvient pas à se définir, à se distinguer et à développer sa créativité. L'introjection fait de l'homme un reproducteur et non un créateur. Elle lui construit une fausse personnalité qu'il maintient au prix d'une dépense importante de son énergie vitale et créatrice[1].

L'introjection se structure en fonction des peurs et des jugements de l'individu, plutôt qu'en fonction de ses besoins. C'est ce qui la rend très néfaste pour la santé mentale de l'individu et pour le développement de sa personnalité. À ce sujet encore, Marie Petit écrit :

> L'introjection est une façon de sentir, de juger, d'évaluer, que nous avons empruntée à quelqu'un d'autre (le plus souvent à nos parents), et que nous avons intégrée dans notre comportement sans jamais l'assimiler[2].

---

1. PORTELANCE, C. *Relation d'aide et amour de soi*, Montréal, Les Éditions du CRAM inc., 1990, p. 167.

2. PETIT, M. *La Gestalt*, Paris, Éditions ESF, 1984, 156 p.

Il y a dans notre société québécoise nord-américaine de nombreuses introjections sur tout ce qui touche nos comportements. Il y a des introjections sur nous-mêmes : le monde des affaires, ce n'est pas pour moi, je ne suis pas capable de parler en public, je suis trop peureux pour partir ma propre entreprise, je suis un dur... Sur les femmes : ce métier n'est pas fait pour les femmes, une femme au volant, c'est dangereux... Sur le sexe, la famille, les amis, le travail, l'autorité, la vie en général, l'amour, le vieillissement. Sur ce que c'est d'être un homme, ce qu'il faut dire ou ne pas dire, faire ou ne pas faire pour garder l'image d'un vrai homme. Celui-ci se développe en opposition à ses valeurs et ses besoins affectifs, soit en se situant à l'opposé plutôt qu'en fonction de ce qu'il ressent et de qui il est. La prise de conscience de ses valeurs et de ses points de référence ne sont surtout pas de l'ordre du rationnel. L'homme se dévoile lorsqu'il pose une action à l'encontre de ces lois non écrites. Cela crée chez lui un malaise profond, presque intolérable, qui s'apparente à la honte, à l'humiliation, à l'abaissement et à la peur de perdre la face, amenant ainsi une angoisse, voire une conviction de perdre sa valeur, en plus de l'inquiétude de perdre l'amour et le respect des autres. Dans cette voie de conditionnement, pensant fuir le sentiment désagréable d'abaissement, l'homme risque fort de perdre son identité; ce sera le prix à payer, le prix du masque qu'il portera.

Ces lois que sont les introjections sont très souvent inconscientes. La grande majorité des hommes que j'ai questionnés lors de mon enquête n'ont pas au départ admis avoir intégré ces introjections; même après réflexion, il leur fut difficile d'en reconnaître plus d'une. Cela m'a amené à observer et à reconnaître chez moi, ainsi que chez les gens que je reçois en thérapie, la façon dont la conscience de l'introjection se fait : par la prise de conscience de l'émotion ou par la résistance émotive. Les introjections sur la virilité bloquent le processus naturel de libération émotive et nous maintiennent au-dessus de notre ressenti et de notre conscience. Il me vient ici l'exemple d'un participant à l'un de mes ateliers.

CAS VÉCU

« Moi je pense qu'un homme aussi a le droit de pleurer »

Gilles m'écoutait parler des introjections et me dit : « Je n'ai pas ça, moi, des introjections ! Je ne considère pas que pleurer fait de moi une femme ou que je suis moins un homme si je le fais; je reste un homme et je crois que les hommes ont aussi ce droit. » Bien entendu, je suis en accord avec le fait que tous les hommes ont le droit de pleurer, et je crois que nombreux sont ceux qui adhèrent à cette pensée. Cependant, c'est souvent une affirmation rationnelle qui ne tient pas compte de leur vécu, de leurs émotions, de leurs peurs et de leurs expériences passées. En effet, plus tard durant cet atelier, Gilles se sentit jugé par les paroles d'un autre participant et en fut blessé. Il réagit en disant : « C'est certain que là j'ai de la peine, mais je ne pleurerai pas ici, surtout pas en présence de femmes; je ne m'abaisserai pas à ce point-là. » Je ne juge pas si ce qu'il a dit est bien ou mal. Je crois simplement qu'à ce moment il n'a pas seulement agi de façon rationnelle ou selon une philosophie quelconque. Je crois qu'il a été en contact direct avec une introjection caractérisée par son blocage et son refus de vivre son émotion. Il a ainsi pris conscience que, lorsqu'il a ressenti de la peine, il ne s'est pas permis de pleurer car, dans son conditionnement masculin, il se serait abaissé en pleurant, ce qui ne se fait surtout pas devant des femmes. ■

> *C'est souvent après expérimentation que la majorité des hommes arrivent à reconnaître avoir intégré des introjections sur ce que c'est d'être un homme par rapport aux émotions qui rendent vulnérable, c'est-à-dire la peine, la peur, l'insécurité, etc. Derrière les introjections inconscientes, ils en viennent même, dans la majorité des cas, à ne plus ressentir leurs émotions et à ne plus voir quels sont les avantages de vivre leur affectivité.*

Voici les introjections qui sont ressorties le plus souvent lors d'une enquête faite auprès de plusieurs hommes dont l'âge variait de 25 à 60 ans, enquête que j'ai effectuée en 1995 dans le cadre d'une recherche. Parmi les répondants, 90 % ont reconnu avoir assimilé au moins une de ces introjections dans leur éducation; cependant, jamais plus de 33 % ont reconnu avoir assimilé plus d'une introjection, ce qui est faible comparativement à la réalité du conditionnement relié au rôle des hommes de notre société patriarcale. Les hommes ayant reconnu avoir assimilé au moins une introjection s'entendaient tous pour dire qu'ils voyaient bien que leurs introjections étaient présentes dans la société et qu'elles provenaient de leur famille immédiate, laquelle les leur avait transmises autant par les agirs que par les paroles. Voici donc les introjections les plus courantes recueillies lors de mon enquête :

- Un vrai homme ne peut exprimer de tendresse à un autre homme.

- Un vrai homme, ça ne braille pas; c'est une affaire de femme.

- Un vrai homme, ça ne se plaint pas, ça ne parle pas de ses difficultés.

- Un vrai homme, ça n'a pas peur.

- La responsabilité financière de la famille revient à l'homme.

Comme je le disais précédemment, ces idéologies ne sont pas non plus clairement identifiées; elles sont décodées à travers un mélange de malaises émotifs et de réactions spontanées qui se manifestent la plupart du temps lors d'un état de sensibilité, de vulnérabilité ou d'émotivité. Lorsque la tête ne mène plus, comme nous l'avons vu dans l'exemple de Gilles, les introjections sont conscientisées. En tenant compte de ce genre de malaise, il devient possible de prendre conscience de l'attitude que l'on s'oblige à garder et qui habituellement va à l'encontre de notre bien-être.

CAS VÉCU

« LA RESPONSABILITÉ FINANCIÈRE DE LA FAMILLE REVIENT À L'HOMME ! »

Une dame me racontait en thérapie que son mari se sentait diminué parce qu'il n'avait pas les moyens financiers de lui payer une voiture. Il lui avait confié tristement : « Je ne suis même pas capable de payer une voiture à ma femme ! » Cet homme se rendait malheureux et se diminuait. Il n'était pas conscient d'avoir assimilé l'introjection affirmant que « c'est l'homme qui doit principalement subvenir aux besoins financiers des membres de sa famille ».

CAS VÉCU

ÊTRE PRUDENT, C'EST ÊTRE « MÉMÈRE », C'EST NE PAS ÊTRE UN « VRAI HOMME »

C'est à travers de petites observations très simples, l'obligation du port de la ceinture de sécurité par exemple, que l'on peut déceler chez soi la présence d'introjections. J'étais assez jeune à ce moment-là, mais je me souviens très bien du commentaire qui, au début de l'application de cette loi, trahissait une mentalité généralisée chez les hommes : « Moi ! mettre ma ceinture ! C'est pour les tapettes, les femmes et les enfants; moi, je ne la mettrai pas. » À grand renfort de publicité et d'amendes sévères, on a réussi à conditionner autrement la mentalité des hommes, et cela, pour leur bien-être. Derrière ce réflexe sexiste se dissimule une introjection qui remonte à la nuit des temps. Elle nous rappelle les bûcherons et les coureurs des bois, lesquels disaient que prendre soin de son corps et de sa santé était féminin. L'homme qui était surpris à s'occuper de lui pouvait alors s'exposer au ridicule et à l'humiliation. C'est une introjection qui même aujourd'hui résiste encore fortement chez la plupart des hommes. Rappelons-nous l'exemple du père de l'enfant chez McDonald. Je retrouve encore cette croyance à mes cours de karaté, où la majorité des gars sont blessés aux côtes mais refusent toujours de porter un protège-côtes car ils se sentiraient diminués; prendre soin de son corps, c'est correct pour les autres mais pas pour soi-même. ∎

Selon une enquête par questionnaire (plutôt que par observation ou expérimentation), le faible pourcentage d'hommes reconnaissant plus d'une introjection comme faisant partie de leur éducation et de leur valeur met justement en lumière la dichotomie du rationnel et de l'émotivité. La différence se retrouve d'une façon très claire en atelier ou en psychothérapie individuelle. Il en ressort une difficulté et un malaise pour tous les hommes, quels qu'ils soient, à ressentir, identifier, vivre leurs émotions et à en parler. Ceux qui arrivent à prendre conscience des paroles de conditionnement craignent la plupart du temps de se dévaloriser, de s'abaisser ou d'être jugés « mémères ». Ils doivent apprivoiser patiemment cette réaction. Ce sont particulièrement la peur d'être humilié, ridiculisé, et la crainte de perdre le respect qui cristallisent et renforcent les introjections et qui éloignent les hommes de leur identité réelle. Ce sont des peurs souvent associées à des expériences traumatisantes d'humiliation. À force de vouloir correspondre à l'image du « vrai homme », ils finissent par ne plus être des hommes vrais et authentiques.

Outre le renforcement des introjections qui compensent l'impression de ne pas être un vrai homme, j'ai aussi pu observer l'enracinement de l'idéalisation des modèles. Ces modèles irréalistes et déshumanisés alimentent les introjections masculines en les survalorisant. Ces introjections sont : l'agressivité des sportifs ou des héros, le rationnel ou la sagesse, et la douceur pour certains. Cette idéalisation renforce les valeurs erronées sur ce que devrait être un homme. Elle ne tient pas compte du fait que, pour avoir surestimé ces valeurs, les hommes idéalisés ont un prix à payer : la violence familiale et sociale, l'alcoolisme, la clandestinité, la solitude, l'impuissance à communiquer ou l'incapacité de s'affirmer. C'est ainsi que Philippe et bien d'autres ont idéalisé et choisi le modèle du vrai homme : celui du père silencieux et dominateur, celui du frère intransigeant et violent, celui incarné par leur héros d'enfance (le dur à cuire d'une équipe professionnelle de hockey). En les idéalisant, l'enfant ou l'adolescent accepte de se soumettre aux lois de la virilité; il ne remet ainsi aucunement en question les comportements des aînés dans le but d'éviter de revivre l'humiliation ou la violence.

Voici d'autres introjections mentionnées lors de l'enquête ou entendues pendant mes ateliers, ceci dans le but d'en faciliter la prise de conscience et de s'en libérer :

- Un vrai homme se doit d'être plus sûr de lui qu'une femme.

- Une femme au volant, c'est dangereux.

- Un vrai homme assume l'autorité, et la femme l'amour.

- L'homme est toujours prêt à faire l'amour, et une femme ça n'aime pas le sexe.

- Un vrai homme, c'est protecteur.

- Une femme doit être aimable, effacée et disponible.

- Un vrai homme ne dépend pas de sa femme.

- Un vrai homme, c'est dur.

- Un vrai homme, ça ne pleure pas.

- Un vrai homme doit toujours donner l'image qu'il ne flanchera pas, qu'il ne cédera jamais à la panique.

- Un vrai homme exerce toujours un contrôle sur lui-même et sur ses émotions.

- Un vrai homme doit être le symbole de la réussite.

- Un vrai homme, c'est débrouillard et c'est censé savoir tout faire en mécanique, en construction et en rénovation.

- Un vrai homme exprime moins ses émotions qu'une femme.

- L'homme, c'est l'autorité dans la maison et on lui doit respect.

- Un vrai homme doit toujours se montrer fort devant les difficultés pour soutenir sa famille.

- Un vrai homme, c'est indépendant.

- Un vrai homme, ça ne doit pas être trop sensible.

- Les tâches ménagères ne reviennent pas à l'homme.

- Un vrai homme, ça détient la vérité et ça a toujours raison.

- Un vrai homme, ça n'est jamais seul et à court de femmes.

- Un vrai homme, ça fume, ça boit, ça sacre et c'est « tough ».

Ces introjections deviennent des régisseurs de comportements et de pensées. Elles interviennent au cours des relations aux autres en favorisant la présentation d'une image, d'un personnage, au lieu de la présentation d'une personne authentique. Ce personnage, qui est très souvent en contradiction avec l'identité cachée de la personne, l'amène à ne pouvoir être congruent. On retrouve dans chaque introjection de l'homme un mode d'emploi servant à lui prouver sa virilité et à la prouver aux autres. Conjointement à cela, chaque introjection entraîne des conséquences majeures, pour l'homme et pour son entourage. Notons la violence, l'incapacité à communiquer, l'isolement, la clandestinité, les séparations et les déchirements affectifs, l'alcoolisme, les blessures, la maladie, etc.

J'aimerais en profiter pour préciser que plusieurs femmes portent aussi en elles ces tendances à l'endurcissement, base des masques de virilité. C'est pourquoi on peut non seulement parler des hommes et des femmes, mais aussi de polarités masculine et féminine présentes en chaque être humain. J'ai le souvenir de femmes qui, à la fin de mes conférences, me disaient se reconnaître dans les comportements et les attitudes de virilité masculine. Voici un exemple récent.

CAS VÉCU

LA VIRILITÉ CHEZ LA FEMME

Céline a quitté Richard car elle souffrait; ses besoins de se sentir importante, aimée, de recevoir des marques d'attention et d'affection, n'étaient pas comblés par son conjoint. Elle choisit, par peur de s'abaisser ou d'étaler sa vulnérabilité, de taire ses besoins insatisfaits car cette sensation menaçait son sentiment de virilité, d'orgueil et de fausse fierté. Elle s'éloigna de Richard, et afficha de plus en plus un masque d'insensibilité. De façon défensive, elle lui faisait vivre ce qu'elle éprouvait en devenant de plus en plus distante et indifférente jusqu'à ne plus ressentir son amour pour lui et le quitter. Ce n'est pas sans peine qu'elle me racontait tout cela ! Elle a peur, en se refermant, de se soumettre encore à ce conditionnement de virilité, car cela en est un. Céline désertait la relation par refus de s'ouvrir à Richard en exprimant ses souffrances et ses besoins. Elle avait peur de lui donner du pouvoir et de se rendre vulnérable. Puis, lorsqu'elle fut séparée, « libérée » et seule avec elle-même, son amour pour lui, enseveli derrière son masque d'insensibilité, refit surface. Elle voulut retourner avec lui. Lorsqu'elle lui fit part des raisons de son départ, Richard fut très surpris d'entendre qu'en réalité, derrière le masque d'insensibilité qu'elle avait porté au cours des mois précédents, elle cachait le besoin insatisfait de se sentir aimée. Il lui témoigna sa peine et sa colère en constatant ce déchirement mutuel causé par l'orgueil et la difficulté à montrer sa vulnérabilité. Cela lui fit éprouver une peur intense de revivre une situation similaire, une insécurité si grande qu'il ne put la dépasser et reprendre immédiatement l'engagement. ∎

J'ai donné ici l'exemple de Céline pour démontrer que les femmes peuvent aussi avoir des comportements de virilité. Nous sommes dans une société à caractère viril où prédominent la performance et le pouvoir, ce qui entretient des comportements de dureté et de fermeture. Cependant, c'est plus souvent l'homme que sa compagne qui adoptera des comportements négatifs de fermeture, de dureté reliés à la virilité puisque le conditionnement de l'orgueil sied davantage à l'homme qu'à la femme.

Nombre de livres traitent du conditionnement social, c'est-à-dire des valeurs qui sont véhiculées à travers les médias tels la publicité, les vidéoclips et les films, ainsi qu'à travers les discours et les comportements des gens qui nous entourent. Elles font partie d'une réalité qui, qu'on le veuille ou non, nous détourne de ce que nous sommes pour nous orienter autrement. Voici un exemple d'introjection religieuse qui peut avoir un impact considérable sur les attitudes des gens.

CAS VÉCU

L'INFLUENCE DE LA RELIGION

Lors d'une sortie entre amis, on discutait à la table voisine du phénomène du sida et je fus témoin de cette polémique. Une des personnes présentes dit à peu près ceci : « C'est une maladie d'homosexuel que Dieu a envoyée pour punir les hommes des perversités auxquelles ils se sont livrés dans le passé et auxquelles ils se livrent encore aujourd'hui. » Je constatai avec surprise que la majorité des gens à la table étaient d'accord avec ce jugement. C'étaient pourtant des jeunes dont l'âge variait entre 25 et 30 ans, normalement plus ouverts, moins influencés par la religion et peu ou pas pratiquants. Le conditionnement est ainsi constitué de valeurs habituellement répandues qui sont ancrées profondément dans la culture. Il devient alors menaçant d'y déroger. On risque le jugement, le ridicule, l'humiliation et le rejet. Revenons aux homosexuels sida-tiques, considérés comme pervers à cause de leur mode de vie sexuelle et tous classés de façon arbitraire dans le même panier. Pourtant, en réalité, on rapporte que plu-sieurs hommes mariés et pères de famille adoptent des comportements sexuels à risque en retenant les services de prostituées et en ne se protégeant pas.   ■

On accepte donc d'acquiescer à ces valeurs au détriment de l'authenticité. Comme je l'ai mentionné précédemment, c'est alors pour l'homme le refus à l'authenticité et à l'émo-tion. Nous sommes dans une société patriarcale où les ca-ractéristiques masculines telles que l'agressivité, la compé-tition et la dureté sont à l'honneur. C'est malheureusement au prix de la négation de la sensibilité que les introjections sont reçues, enregistrées et renforcées par les messages so-ciaux véhiculés à travers les lectures, la télévision, la radio et les rencontres sociales. C'est pourquoi il peut sembler facile, à la lecture de ce qui précède, de vouloir changer cette réalité. Mais il n'en demeure pas moins que le jugement et le rejet sont des menaces présentes et douloureuses. On peut cependant en tenir compte et s'en protéger en choisissant le moment et la façon de les exprimer.

CAS VÉCU

SARA JUGE QUE PIERRE EST TROP SENSIBLE

Malgré son ouverture à la communication et à l'expres-sion de ses émotions, Sara m'a avoué qu'il lui arrivait de devenir mal à l'aise et perturbée en écoutant Pierre parler de ses émotions et de sa sensibilité. Pour elle, ce compor-tement est contradictoire à l'image qu'elle a d'un homme. Pierre ne nie pas cette réalité mais ne se tait pas pour autant.

Cependant, pour son propre bien et le bien-être de sa relation de couple, il choisit d'en tenir compte en taisant certaines émotions inutiles. Par contre, Sara ne correspond pas toujours à l'image que Pierre a d'une femme.   ■

Kenneth J. et Mary M. Gergen explicitent, dans *La psychologie sociale*, le modelage parental par le processus de l'imitation, du renforcement et de l'influence des médias dans la construction des préjugés, autant sur les autres que sur soi. Il n'en reste pas moins que les introjections auront un effet certain sur la conduite des hommes. Les auteurs appuient leurs affirmations sur une étude concernant les idées préconçues au sujet des sexes :

> *Quelle image d'eux-mêmes les médias renvoient-ils aux jeunes garçons et filles ? Comment les deux sexes sont-ils présentés ? Au Québec, l'analyse de Lise Dunnigan (1975) portant sur les manuels scolaires approuvés par le ministère de l'Éducation montre les distorsions suivantes au sujet des sexes [...] Les attitudes et les émotions sont distinguées en fonction du sexe : l'amour, l'affection, la faiblesse, la peur et la dépendance sont présentés comme féminins, alors que la colère, l'agressivité, le courage, la force et le leadership sont présentés comme masculins*[3].

Je n'ai souligné qu'un exemple de cette étude, qui est beaucoup plus exhaustive et révélatrice. Comme excuse, nous pourrions dire que cette étude date; elle fut réalisée il y a plus de 25 ans. Cependant, cela veut dire qu'aujourd'hui

---

3. GERGEN, K.J. et M.M. GERGEN. *La psychologie sociale*, Saint-Laurent, Éditions Études Vivantes, 1983, pp. 123-124.

les gens dans la trentaine ont eu ce matériel scolaire entre les mains et ont été exposés à ce conditionnement. Si nous ajoutons à cela plusieurs autres valeurs, paroles, conditionnements provenant de la famille, de la télévision ou même des amis, il y a de fortes probabilités que ces adultes soient aujourd'hui porteurs de certaines valeurs. Valeurs sexistes qui gèrent leur façon de vivre ou le refoulement de leurs émotions, valeurs qui influencent d'une façon ou d'une autre leur entourage et l'éducation de leurs enfants.

CAS VÉCU

LES MESSAGES DE LA VIRILITÉ DANS LES MÉDIAS

Plus récemment, en mars 1998, j'ai participé à une émission de radio au cours de laquelle l'animateur m'avait affirmé que les hommes en vieillissant deviennent des mous, des faibles, parce qu'ils pleurent davantage. Il me demanda ce que j'en pensais. Nous étions presque tous d'accord que ce jugement perpétue l'inadmissibilité de la sensibilité des hommes. Je suis convaincu que l'homme vieillissant qui pleure ne s'affaiblit pas; il s'attendrit et s'humanise à travers ses expériences. J'étais très content que l'animateur me donne l'occasion de démontrer que son affirmation relève d'un préjugé très populaire. En osant exposer cette idée fort répandue, il m'a permis d'en parler et peut-être de provoquer une remise en question. Sinon, nous devenons complices de tous les préjugés qui se perpétuent dans le silence. ■

Durant l'enfance, les préjugés s'ancrent solidement chez le jeune garçon par des relations dysfonctionnelles avec son entourage et par des introjections qui exerceront une très grande influence sur son silence. Au cours de l'adolescence, de cette période importante d'intégration à la société, il répétera d'une façon dysfonctionnelle les agissements intégrés, et ce, selon la façon dont il a appris à être en relation, ce qui confirmera justement ses introjections. Il s'attirera des situations et des relations semblables à ses relations d'origine pour cristalliser des croyances allant à l'encontre de sa nature profonde. C'est ce que nous verrons dans le prochain chapitre.

Au préalable, je vous propose un petit exercice de réflexion pour favoriser la prise de conscience de vos propres introjections afin de détecter l'impact qu'elles ont sur vous.

EXERCICE DE RÉFLEXION

1. **Dans la liste qui suit, cochez les introjections qui vous rejoignent; nommez à qui elles sont liées dans votre éducation.**

Un vrai homme se doit d'être plus sûr de lui qu'une femme. ☐

Une femme au volant, c'est dangereux. ☐

Un vrai homme assume l'autorité, et la femme l'amour. ☐

L'homme est toujours prêt à faire l'amour, et une femme ça n'aime pas le sexe. ☐

Un vrai homme, c'est protecteur. ☐

Une femme doit être aimable, effacée et disponible. ☐

Un vrai homme ne dépend pas de sa femme. ☐

Un vrai homme, c'est dur. ☐

Un vrai homme, ça ne pleure pas. ☐

Un vrai homme doit toujours donner l'image qu'il ne flanchera pas, qu'il ne cédera jamais à la panique. ☐

Un vrai homme exerce toujours un contrôle sur lui-même et sur ses émotions. ☐

Un vrai homme doit être le symbole de la réussite. ☐

Un vrai homme, c'est débrouillard et c'est censé savoir tout faire en mécanique, en construction et en rénovation. ☐

Un vrai homme exprime moins ses émotions qu'une femme. ☐

L'homme, c'est l'autorité dans la maison et on lui doit respect. ☐

Un vrai homme doit toujours se montrer fort devant les difficultés pour soutenir la famille. ☐

Un vrai homme, c'est indépendant. ☐

Un vrai homme, ça ne doit pas être trop sensible. ☐

Les tâches ménagères ne reviennent pas à l'homme. ☐

Un vrai homme, ça détient la vérité et ça a toujours raison. ☐

Un vrai homme, ça n'est jamais seul et à court de femmes. ☐

Un vrai homme, ça fume, ça boit, ça sacre et c'est « tough ». ☐

2. **Reprenez l'introjection ou les introjections cochées et répondez aux questions en suivant cet exemple.**

   Exemple : Un vrai homme ne dépend pas de sa femme.

   a) **À quelle occasion avez-vous été en accord avec cette introjection ? Donnez un exemple précis.**

   Le jour où une femme que j'ai beaucoup aimée m'a annoncé qu'elle avait rencontré un autre homme, ça m'a fait très mal ; je me sentais abandonné, j'avais de la peine, j'étais triste, j'avais peur de la perdre, mais surtout je ressentais un énorme chagrin. Au lieu de le lui exprimer et de vivre mes émotions en relation avec elle afin d'éviter un déchirement encore plus douloureux lors de cette coupure affective, je me suis endurci, fermé, et je l'ai rejetée.

b) **Que vouliez-vous éviter ?**

J'avais peur de lui montrer toute l'importance qu'elle avait pour moi, de m'abaisser en lui montrant toute la peine que j'avais de la perdre, et de ressentir un grand vide à cause de ma dépendance.

c) **Quel résultat avez-vous obtenu ?**

Après qu'elle fut partie, j'ai ressenti un vide impossible à combler, une solitude et une tristesse très grandes, comme si on m'arrachait quelque chose d'important. En fait, c'est moi qui tentais de m'extirper l'attachement à cette femme.

d) **Est-ce que ce fut satisfaisant pour vous ?**

Pas du tout, j'ai voulu éviter d'avoir mal et ce fut encore pire.

e) **Que serait-il arrivé si vous n'aviez pas répondu à cette tendance, si vous en étiez allé à l'encontre ?**

Je lui aurais exprimé à quel point j'avais mal de la perdre et qu'elle soit en amour avec un autre homme. J'aurais pleuré devant elle, et peut-être avec elle, tout l'attachement que j'avais pour cette femme.

f) **Quelle émotion souffrante, désagréable, aurait alors surgi en vous ?**

Ma peur de souffrir de ne pas être important, la peur de m'abaisser, d'être moins respecté, de donner du pouvoir à l'autre.

DÉBUT DE L'EXERCICE

Pour répéter cet exercice avec plusieurs introjections, je vous propose de photocopier les questions.

Première introjection cochée : _____

_____

a) **À quelle occasion avez-vous été en accord avec cette introjection ? Donnez un exemple précis.**

_____

_____

_____

_____

b) **Que vouliez-vous éviter ?**

_____

_____

_____

_____

c) **Quel résultat avez-vous obtenu ?**

_____

_____

_____

_____

_____

d) **Est-ce que ce fut satisfaisant pour vous ?**

_____

_____

_____

_____

e) **Que serait-il arrivé si vous n'aviez pas répondu à cette tendance, si vous en étiez allé à l'encontre ?**

_____

_____

_____

_____

f) **Quelle émotion souffrante, désagréable, aurait alors surgi en vous ?**

_____

_____

_____

_____

C'est elle, en fait, qui vous vient de votre passé et qui fait que vous cachiez votre authenticité. Le travail de changement pour vous s'effectuera en apprivoisant cette émotion pour arriver à vous libérer de ce qui vous empêche d'être plus vrai, de vivre plus en fonction de vous, de devenir plus libre. Nous y reviendrons à la fin du quatrième chapitre.

À la fin de ce questionnaire, je vous encourage à compléter cette liste dans vos propres mots, avec vos propres introjections, et ce, de façon à retracer l'origine de cette émotion et à voir dans votre quotidien quelles en sont les implications sur votre façon d'être et sur la perte de votre liberté.

Un vrai homme se doit _____

_____

Une femme au volant _____

_____

Un vrai homme assume _____

_____

L'homme est toujours prêt à _____

_____

Un vrai homme, c'est _____

_____

Une femme doit être _____

_____

Un vrai homme ne _____

_____

Un vrai homme, c'est _____

_____

Un vrai homme, ça _____

_____

Un vrai homme doit toujours _____

_____

Un vrai homme exerce _____

_____

Un vrai homme doit être le symbole _____

_____

Un vrai homme, c'est débrouillard et _____

_____

Un vrai homme exprime _____

_____

L'homme, c'est _____

_____

Un vrai homme doit toujours _____

_____

Un vrai homme, c'est _____

_____

Un vrai homme, ça _____

_____

Les tâches ménagères _____

_____

Un vrai homme, ça _____

_____

Un vrai homme, ça _____

_____

Un vrai homme, ça _____

_____

Chapitre 4

LA CONFIRMATION DES FAUSSES CROYANCES

Nous l'avons vu précédemment, la difficulté de l'homme à ressentir et à vivre ses émotions prend sa source dans des expériences humiliantes au cours desquelles il a « enregistré » des croyances dévalorisantes concernant sa sensibilité et son émotivité. Ces introjections constituent l'élément premier du conditionnement durant l'enfance. Dans ce chapitre, nous verrons comment se poursuit ce conditionnement, comment se referme le couvercle du contenant qui retient avec compression la sensibilité des hommes. Ce chapitre démontrera que ce conditionnement de fausses valeurs se cristallisera au cours de l'adolescence.

Ces fausses valeurs s'enracinent au cours de cette période charnière, où l'identité et l'orientation sexuelle se définissent, s'expérimentent et se concrétisent. Le conditionnement passé prend toute sa signification dans ce processus de socialisation et d'intérêt, autant sexuel que social, en orientant l'interaction avec les autres. L'enfant part à la découverte du monde avec comme bagages les apprentissages acquis à la maison. Par ce processus de répétition du connu, le jeune garçon risque de confirmer ses croyances à travers les relations qu'il vivra dans son nouvel entourage. À l'enfance, il apprend à intégrer de fausses valeurs qui vont à l'encontre de son émotivité. À l'adolescence, il confirmera ses croyances, ce qui les cristallisera dans son fonctionnement; il risquera à son tour de véhiculer ces valeurs annihilantes sur le plan humain. Ce sera l'homme de demain, coupé de sa polarité féminine.

Je m'explique. Par besoin d'être reconnu, valorisé, pour se distinguer par rapport aux influences parentales et mieux se définir, l'adolescent entreprend cette route de la découverte de soi à travers le monde extérieur. Cependant, ses introjections orienteront sa façon d'interagir. Si son éducation lui a enseigné la dureté, si elle lui a inculqué la froideur, il perpétuera ces valeurs. Si elle a favorisé la rationalité au détriment de l'émotivité, il la perpétuera aussi. Il risque même de devenir, comme je l'ai mentionné précédemment, un agent de propagande de ses idées préconçues contre la sensibilité.

CAS VÉCU

LA DURETÉ DE L'ADOLESCENCE

Lorsque j'avais 13 ans, j'allais dans une école secondaire pour garçons, lieu privilégié pour parfaire l'apprentissage des masques de virilité. Nous étions très durs les uns envers les autres : si l'un des « gars » défiait la loi de la virilité en se montrant trop sensible, il était rapidement humilié, ridiculisé, traité de « tapette », ce qui constituait une des pires insultes à cet âge. C'est d'une façon bien inconsciente, dans l'espoir justement d'être aimé, valorisé et de se démarquer, qu'on répétait ce qu'on avait appris. ∎

Ceux qui démontrent une certaine sensibilité malgré les enseignements passés ridiculisant l'émotivité peuvent, par un processus de prise de conscience, se remettre en question. Ils auront alors l'occasion de s'ajuster en s'interrogeant. Qui a raison : l'extérieur ou la famille ? Quel comportement est-il le plus acceptable ? Lequel répond le plus à mes besoins réels ? Mais ces cas sont rarissimes, car l'éducation façonne puissamment la personnalité. Au-delà de la conscience, et sans une démarche de croissance sérieuse, on répète ce qu'on a appris. Je rencontre, en thérapie, un grand nombre d'hommes et de femmes qui, parvenus à 30 ans, à 40 ans et plus, réalisent qu'ils ressemblent à leurs parents dans ce qu'ils avaient justement le plus rejeté. En fait, ils n'avaient pas transformé ces attitudes, ils les refoulaient. Ce comportement refoulé remonte à la surface un jour ou l'autre. On peut dire que c'est la loi de la relativité en ce qui concerne les émotions et les pulsions : tout ce qui est refoulé resurgit !

CAS VÉCU

GUY ET LA DURETÉ

Pour illustrer ce propos, voici le cas de Guy. Comme plusieurs hommes, Guy a développé des attitudes très viriles liées à son identité masculine. Il rejoint ainsi le vécu de beaucoup d'hommes qui ont entretenu des valeurs de virilité. Il a été élevé dans un milieu plutôt violent où les autres étaient considérés comme étant hostiles. En raison particulièrement des réactions inattendues et virulentes de son père, Guy a développé la crainte d'être agressé verbalement et physiquement, crainte qui l'a rendu très défensif à l'égard des autres. Il a alors enregistré l'introjection suivante : « Les autres sont des ennemis et on doit les combattre ou les écraser pour éviter de l'être soi-même. » C'est pourquoi, avec ses frères et ses sœurs, chaque affirmation ou opinion dégénérait en confrontation ou en guerre de pouvoir qui se terminait par la proclamation d'un gagnant et d'un perdant. Aujourd'hui, Guy me consulte parce qu'il est très malheureux à son travail, toujours aux prises avec de sérieux conflits. Les convictions qu'il a acquises au cours de son enfance sont enracinées. Aujourd'hui encore, il est convaincu que les relations constituent un champ de bataille et que tout le monde est contre lui. Il a continuellement peur que son entourage cherche à l'agresser ou à le ridiculiser. Cet état d'esprit le tient sur la défensive, prêt à tout moment à répondre aux provocations en attaquant démesurément et en s'attirant la confrontation, tout comme cela se passait dans son milieu familial. Au cours d'une séance, il réalisa que son attitude guerrière, celle de vouloir toujours avoir raison en s'affirmant d'une façon excessive pour exprimer la moindre opinion, attisait et entretenait la discorde. Il prit conscience de sa peur d'avoir l'air ridicule lorsqu'il exprimait ses idées. Il réalisa qu'il agressait les autres et les ridiculisait pour éviter d'être lui-même agressé et ridiculisé. Ce comportement lui amenait les attaques et le rejet de son entourage. En répétant les attitudes adoptées dans sa famille, en étant sûr de l'hostilité des gens et en ayant l'assurance qu'il valait mieux attaquer avant d'être attaqué, il s'est attiré ce type de relation et a renforcé cette tendance à la dureté qui lui venait de son éducation. ■

De la même façon, le manque de confiance en soi nous attire souvent un manque de confiance envers les gens qui nous entourent. Au lieu de souligner nos compétences et notre courage, nous leur montrons notre nervosité, nos inquiétudes prédominantes et notre incapacité à nous rendre au bout de nos projets. Nous nous décourageons, nous laissons distraire par nos doutes, sabotons nos réalisations et ne faisons que rêver plutôt que de passer à l'action. Il s'agit d'un processus inconscient qui nous amène par la suite à nous plaindre que les gens ne nous font pas confiance. Ce fonctionnement nous entretient malheureusement dans des maux et des difficultés psychologiques, c'est-à-dire dans le manque de confiance et l'insécurité. De la même façon, le manque d'estime de soi attire souvent le mépris des autres et la mésestime. En acceptant des paroles et des gestes dénigrants de la part de notre entourage, en négligeant notre apparence certains jours où nous nous aimons moins, nous favorisons ce manque. Nous choisissons des vêtements qui ne nous avantagent guère et, psychologiquement, nous nous laissons abuser et ne nous affirmons pas. Tout cela, bien sûr, à notre insu. Nous répétons des types de relations qui sont semblables aux relations dysfonctionnelles que nous entretenions avec nos parents et notre famille immédiate.

Revenons maintenant au thème de ce chapitre, c'est-à-dire aux expériences que vit l'adolescent et qui sont susceptibles de confirmer les valeurs de son conditionnement et de l'amener à rejeter la sensibilité et l'émotivité à l'âge adulte. En voici un exemple personnel.

CAS VÉCU

LES INQUIÉTUDES AMOUREUSES, C'EST POUR LES FAIBLES

Ayant été élevé dans un milieu agressif, moqueur et dur, j'avais acquis la conviction que la sensibilité et l'insécurité chez les hommes sont inadmissibles et indignes d'un vrai homme. J'ai donc développé la honte de mes émotions. Malgré cette honte, je me souviens très bien qu'à 16 ou 17 ans, lors de mes premières difficultés amoureuses, j'étais naturellement poussé à partager ces expériences avec mes amis. Je le faisais quelquefois d'une façon maladroite à cause de ma peur d'être jugé. Mais je me rappelle particulièrement cette fois où j'ai choisi qu'à l'avenir je me tairais et accepterais le jugement. Un matin, j'arrivai au collège un peu bouleversé des rêves que j'avais faits la nuit précédente. Je vivais de l'inquiétude à propos de la fille avec qui je sortais, ce qui m'insécurisait et m'attristait. Tout naturellement, après avoir rejoint un copain avec qui je jouais au football, je lui fis part naïvement de mon rêve et de mon insécurité. Il m'écouta mais rapidement m'interrompit pour me traiter de malade. Il me dit que j'avais un sérieux problème, que je n'avais qu'à me ficher de cette fille. Sur le moment, je fus surpris et complètement assommé par sa réaction; surtout je fus gêné de ma sensibilité et de mon insécurité. Je n'ajoutai rien tellement la honte m'envahissait. Je me souviens cependant que je me suis retourné en me répétant : « Quand comprendras-tu, Yvan ? Quand te la fermeras-tu ? Ces choses-là, ça ne se discute pas entre gars. » Cette expérience de honte et de jugement a servi à confirmer les croyances issues de mon enfance. Ces croyances relatives à la nature d'un « vrai homme », je les tenais des gars de mon quartier et de ma relation avec mon père et mes frères. Entre gars, on ne partage pas ses peines et sa vulnérabilité. Cette expérience fut comme le dernier clou du cercueil; elle enterrait mon droit à l'expression de ma sensibilité et de mon émotivité. Je solidifiais ainsi la mise en place de mes masques de dureté avec les autres gars. Cette leçon humiliante, je ne l'ai jamais oubliée. Ayant été conditionné pendant plusieurs années dans mon milieu d'origine, j'avais accepté de me laisser parler ainsi car j'avais la certitude que mon ami avait raison. ■

Aujourd'hui, c'est bien différent. Je ne donne plus aussi facilement raison aux gens qui jugent ma sensibilité. Ça me blesse encore, mais j'ai développé le discernement qui m'aide à voir leur propre conditionnement.

En acceptant socialement les jugements des autres sur sa sensibilité, le jeune adulte se convainc qu'il est préférable de présenter un masque de rationalité ou de dureté plutôt que de montrer sa sensibilité et de vivre son émotivité. Les idées préconçues s'ancrent alors plus fermement. Bien inconsciemment, les hommes répètent les systèmes relationnels de leur enfance. Ayant honte de ma sensibilité à cause des commentaires et des gestes parfois violents de mes frères et d'autres gars plus vieux du quartier, je me taisais et me renfermais. Je me traitais d'idiot de m'être ouvert et d'avoir été « faible ». J'ai agi de la même manière avec ce partenaire de football. À la suite de cette expérience, je me suis renfermé encore plus. Je devins plus malheureux et plus violent. Une période dépressive commença pour moi. J'étais convaincu d'avoir un problème d'identité masculine et je recherchais le vrai modèle de mâle à suivre. Ce gars qui prônait le silence et la dureté en était un parfait exemple. La honte dirigeait ma vie tout le long de ce processus. Si elle n'avait pas été si forte, renforcée par un milieu dénigrant toute sensibilité masculine, j'aurais sans doute mis en doute la réaction de ce gars et je n'aurais pas accepté son jugement. Je me serais évité cette insidieuse et violente remise en question. Je recherche aujourd'hui la compagnie d'hommes qui ont des schèmes de virilité différents de ceux que j'avais moi-même adoptés à l'époque, schèmes qui m'ont longtemps rendu malheureux par le pouvoir que je leur donnais sur ma vie.

Les croyances erronées du jeune homme se confirment, puis se cristallisent par la formation finale des masques de virilité. Dans mon cas, c'est par honte que je me suis mis à m'endurcir et à souhaiter correspondre aux critères du vrai gars, et ce, dans le but inconscient d'éviter l'humiliation, le ridicule et le rejet de ceux que je considérais comme faisant partie des miens. J'ai choisi inconsciemment le chemin de la virilité. J'ai alors, selon les introjections que j'avais intégrées, renforcé ces masques. L'adolescent part souvent à la découverte du monde en pensant trouver autre chose que ce qu'il avait chez lui. Cependant, à travers cette odyssée, c'est son passé et ses racines qu'il risque fort de retrouver.

EXERCICE DE RÉFLEXION

Avant de passer à la conclusion, je vous propose de répondre au questionnaire suivant pour vérifier quelles sont les introjections qui vous amènent à cacher votre personnalité profonde et authentique. Quels sont, en fait, les jugements que vous portez sur vous qui vous amènent à accepter les jugements des autres et qui vous font recourir aux masques ? Nous partirons d'abord d'un événement frustrant que vous avez vécu.

a) **Identifiez un événement au cours duquel vous n'avez pas osé exprimer votre peine ou votre peur réelle. Que s'est-il passé et qu'est-ce qui vous a particulièrement atteint ?**

_____

_____

_____

_____

b) **Quelle est ou quelles sont les émotions que vous avez ressenties et que vous n'avez pas exprimées ? Dites pourquoi.**

_____

_____

_____

_____

c) **De quoi avez-vous eu peur ? Dites pourquoi cette peur a eu autant de prise sur vous.**

_____

_____

_____

_____

d) **Comment avez-vous réagi, quel masque avez-vous adopté, pour refouler, cacher et transformer cette émotion ?**

_____

_____

_____

e) **Quelles sont les introjections que rejoint ce comportement et qui font que vous cachiez cette émotion, et même la transformiez en une émotion que vous jugiez plus acceptable ?**

_____

_____

_____

_____

f) **Après ce questionnement, restez-vous avec le sentiment de vous être caché quelque chose ? Une autre émotion était-elle dissimulée ? La peine derrière la colère, la colère derrière la peine, la peur derrière votre calme et votre maîtrise ? Si oui, que vous êtes-vous caché ?**

_____

_____

_____

_____

f) **À qui, dans votre famille, ce comportement vous ramène-t-il ? Ce fut probablement votre modèle pour cacher cette émotion et répondre à des messages y faisant référence.**

_____

_____

_____

_____

g) **Qu'auriez-vous pu dire et/ou faire pour garder le droit à vos émotions, et ce, sans perpétuer le cycle de violence en cherchant à blesser à votre tour la personne qui vous avait dit quelque chose de blessant ?**

_____

_____

_____

_____

En prenant conscience de ce que vous avez tenté de cacher et de la façon dont vous l'avez fait, vous pouvez maintenant établir un lien avec une croyance que vous avez acquise et qui vous empêche de vous écouter, de vous affirmer et d'être plus vrai.

LES MASQUES
DE VIRILITÉ

> **Bien les connaître pour mieux les retirer et ainsi passer d'une virilité hiérarchisée à une masculinité plus humaine**

Pour terminer, j'aimerais vous faire une confidence qui reflète bien la réalité d'un processus de changement, une réalité qui ressemble plus à « deux pas en avant et un pas en arrière, deux pas en avant et un pas en arrière, etc. » Ce qui est important, c'est d'avancer. Il ne faut pas viser le changement radical; il s'agit surtout, une fois le processus amorcé, de persévérer et d'admettre qu'il peut y avoir des rechutes. Ce processus, on le connaît bien lorsqu'on porte un masque depuis plusieurs années; l'enlever, ça ne se fait pas du jour au lendemain.

Malgré des années de consultations thérapeutiques individuelles, de couple et de groupe, malgré d'innombrables lectures, cours, formations, études et recherches, je demeure encore, comme tous les Occidentaux d'ailleurs, aux prises avec la peur de m'abaisser et de m'humilier si je montre mon émotivité, ma sensibilité, mes angoisses, mes limites, mes besoins, etc. Devant des hommes masqués de virilité, que ce soit de dureté ou de rationalité, il m'arrive souvent d'hésiter, de ressentir le doute en moi, de me demander pendant un moment s'ils n'ont pas raison de se masquer ainsi ou si ce n'est pas plutôt moi qui me trompe. Comme homme, je suis alors confronté à cette peur souvent inconsciente du ridicule de me montrer sensible et émotif, et ce, jusqu'au moment où, malgré mes doutes, je m'accueille dans ma différence et ma sensibilité et exprime mes émotions. Je suis alors libéré de mon masque et je comprends la raison de la démarche qui m'y a conduit. Je ressens maintenant un grand bien-être, je me sens libre, nourri affectivement, près des gens qui m'entourent, en harmonie avec moi-même et moins seul.

Pour faciliter l'enlèvement des masques, je tiens à rappeler l'importance de dépasser le jugement qu'on pose sur ceux qui les portent, surtout lorsqu'ils les utilisent comme des mécanismes de défense. Il est beaucoup plus constructif de prendre conscience de l'existence du masque et des souffrances qu'il inflige, autant à celui qui le porte qu'à ceux et celles qui le côtoient.

> *Au cours de l'enfance, on choisit de se bâtir un masque pour se protéger d'une souffrance qui, à cet âge, est insupportable tant elle met en péril l'équilibre psychologique et la santé physique. Mais à l'âge adulte on peut changer ce choix.*

Lorsqu'on parvient à l'âge adulte, bien que le masque ne soit plus nécessaire, il est souvent très pénible de s'en défaire. La première étape est d'en prendre conscience et de l'accepter pour ensuite pouvoir le dénoncer et aller vers l'expression de l'émotion réelle du cœur, et ce, pour devenir un homme vrai plutôt qu'un « vrai homme ». Il en résultera une meilleure santé physique et psychologique ainsi que des relations plus saines, autant sur le plan personnel que sur le plan professionnel.

Lors du processus de dévoilement du masque, la culpabilisation ou l'autoculpabilisation est dangereuse car potentiellement créatrice d'autoviolence ou de violence envers les autres. La dénonciation du masque est une démarche nécessaire et elle sera d'autant plus profitable si elle est accompagnée d'un maximum d'acceptation et d'ouverture.

Pour les hommes qui arborent les masques d'anti-virilité (le doux, la victime, le charmeur, le séducteur et l'insaisissable clown), ce sont les émotions liées à l'agressivité et à l'affirmation directe qui sont les plus difficiles à ressentir et à vivre. Ces émotions génèrent une culpabilité très forte mais, pour assurer un changement vers une plus grande authenticité, elles doivent être développées par le ressenti et l'expression. Pour les hommes qui revêtent les masques d'anti-émotivité (le superficiel, le mystérieux sage, le supérieur et le rationnel), toute émotion est à apprendre à ressentir et à exprimer. Quant aux hommes qui portent les masques de dureté (l'infaillible, l'insensible et le dur), qui misent sur ces masques pour démontrer leur virilité, ce sont les émotions de vulnérabilité telles que la peur, les besoins, la peine et la culpabilité qu'ils doivent particulièrement apprendre à exprimer.

Ce livre démontre le processus du silence chez les hommes, fruit d'une éducation prônant la non-acceptation de ses émotions, de sa sensibilité, de sa vulnérabilité, tout en encourageant exagérément la dureté, la perte de contact avec le corps, l'agressivité, la rationalité, la supériorité, la performance et la compétition. Ce processus conditionne initialement l'enfant en lui enseignant la différence entre ce qui est acceptable et ce qui ne l'est pas pour un jeune garçon et un homme en devenir. À travers des expériences pénibles et honteuses d'humiliation, l'enfant acceptera souvent de souscrire aux valeurs masculines de notre société en mettant de côté son humanisme. En vieillissant, par les systèmes relationnels qu'il se créera, souvent il confirmera ses introjections sur la masculinité en s'attirant des réactions qu'il interprétera dans le sens de ses propres jugements, réactions qui le blesseront assez pour lui faire croire fermement qu'il est préférable de se masquer plutôt que d'être authentique. Cette route, qui comprend des particularités et des différences propres à chacun, contribuera à former l'homme de silence.

Ce livre n'est qu'une première étape qui dénonce la façon dont nous, les hommes, cachons nos émotions. Il reste cependant beaucoup de chemin à parcourir pour améliorer la condition des hommes et celle de l'humanité. Il s'agit là d'une tâche qui n'est pas facile étant donné le pouvoir dont disposent les hommes dans notre société patriarcale. Gérer les gens et les institutions avec le cœur fermé est une activité dangereuse. On n'a d'ailleurs qu'à penser au non-respect de la vie sous toutes ses formes, que l'on observe aussi bien dans les relations personnelles que dans les relations professionnelles.

Pour terminer, j'aimerais vous offrir un extrait d'un poème de Khalil Gibran portant sur l'amour. J'ai choisi cet extrait parce qu'il reflète bien le fait que la vie, comme le dit si bien Mme Colette Portelance, est souvent « un arracheur de masques », et l'amour le moteur de l'expérience de démasquage, ce que je constate souvent en consultation.

> *Lorsque l'amour vous fait signe, suivez-le,*
> *Même si ses voies sont dures et raides.*
> *Et lorsque ses ailes vous enveloppent, cédez-*
> *lui, quoique la lame cachée dans son plumage*
> *puisse vous blesser.*
> *Et lorsqu'il vous parle, croyez-le,*
> *Quoique sa voix puisse fracasser vos rêves*
> *comme le vent du nord qui saccage le jardin.*
> *Car de même que l'amour peut vous*
> *couronner, de même il peut vous crucifier.*
> *Car il est fait pour vous aider à croître*
> *comme pour vous élaguer.*
>
> *De même qu'il se hausse à votre hauteur, et*
> *caresse vos branches les plus tendres qui*
> *tremblent dans le soleil,*
> *De même peut-il descendre dans vos racines*
> *et les remuer jusqu'à la terre qui les attache.*
> *Comme des gerbes de blé il vous rassemble*
> *en lui.*
> *Il vous bat pour vous rendre nus.*
> *Il vous tamise pour vous libérer de votre*
> *enveloppe.*
> *Il va vous moudre jusqu'à la blancheur.*
> *Il vous pétrit jusqu'à vous rendre souples.*
> *Et alors il vous assigne à son feu sacré pour que*
> *vous deveniez du pain sacré pour le festin de Dieu.*
>
> *L'amour fera tout cela pour que vous*
> *connaissiez les secrets de votre propre cœur*
> *et, de par cette connaissance, deveniez*
> *fragment du cœur de la vie [1].*

---

1. KHALIL, G. *Le prophète*, traduction de Marc de Smedt, Paris, Éditions Albin Michel S.A., 1990, pp. 27-28.

ℬibliographie

BADINTER, É. *XY de l'identité masculine*, Paris, Éditions Odile Jacob, 1992, 278 p.

BÉLANGER, S. *Les dimensions narcissique et dépressive de la violence masculine dans le contexte des relations intimes*, mémoire présenté comme exigence partielle de la maîtrise en psychologie, Université du Québec à Montréal, 1991, 210 p.

BIOLLEY, J. *Comme un ciel de Chagal*, 2e éd., Châteauneuf (France), Regard Fertile/WALLADA, 1992, 151 p.

BRADSHAW, J. *S'affranchir de la honte : Libérer l'enfant en soi*, Montréal, Le Jour éditeur, 1993, 353 p.

BRAIS, M. *Les facettes de la personnalité*, document de cours, Montréal, Les Éditions du CRAM inc., 1993, 15 p.

BRAIS, M. *L'identification aux modèles*, document de cours, Montréal, Les Éditions du CRAM inc. , 1993, 15 p.

CARON, R. *Bingo*, traduit de l'anglais par Jean-Robert Saucyer, Édition de Mortagne, 1985, 243 p.

CARON, R. *Matricule 9033*, traduit par Claire Dupont, Beauchemin, 1978, 366 p.

CLOUTIER, M. *Développement de l'enfant*, notes de cours (PSD-1017), Université du Québec à Trois-Rivières, 1990, 154 p.

CORNEAU, G. *L'amour en guerre*, Montréal, Les Éditions de l'homme, 1996, 253 p.

CORNEAU, G. *Père manquant, fils manqué*, Montréal, Les Éditions de l'homme, 1989, 184 p.

DULAC, G. *Penser le masculin*, Québec, Institut québécois de recherche sur la culture, distribution de livres Univers, 1994,
153 p.

DUTOT DC, F. *Les fractures de l'âme*, Paris, Robert Laffont, 1988,
362 p.

FOREST, F. *Le développement de la personne*, 2ᵉ éd., Montréal, Les
Éditions HRW, 1983, 558 p.

FORTIN, J. *L'impact des non-dits dans la relation affective et sexuelle*,
mémoire de DESA présenté au Centre de relation d'aide de
Montréal, 1995, 174 p.

GERGEN, K.J. et M.M. GERGEN. *La psychologie sociale*, Saint-Laurent,
Éditions Études Vivantes, 1984, 528 p.

GIBRAN, K. *Le prophète*, traduit par Marc de Smedt, Paris, Éditions Albin Michel S.A., 1990, 143 p.

GOLBERG, H. *L'homme sans masque : Comment surmonter la crainte
de l'intimité*, Montréal, Le Jour éditeur, 1987, 268 p.

GOLEMAN, D. *L'intelligence émotionnelle*, Paris, Robert Laffont,
1997, 418 p.

GREENSPAN, S. *Le développement affectif de l'enfant*, Paris, Payot,
1986, 318 p.

LAPLANCHE, J. et J.-B. PONTALIS. *Vocabulaire de la psychanalyse*,
Paris, Presses universitaires de France, 1968, 525 p.

LEE, J. *Je tuerais bien mon père... mais il n'est pas là*, traduit par
Jean-Louis Morgan, Québec, Stanké, 1993, 214 p.

LOWEN, A. *La bio-énergie*, Tchou éditeur, et Sand, 1985, 307 p.

LOBROT, M. *Le choc des émotions*, Tours, Éditions de la Louvière,
1993, 280 p.

LOBROT, M. *Le mal d'aimer*, Chez l'auteur, Résidence de l'Avenir,
3 rue du huit Mai, 93260 Les Lilas, France, 1982, 228 p.

MILLER, A. *C'est pour ton bien ou Les racines de la violence*, Paris,
Aubier, 320 p.

MILLER, A. *Le drame de l'enfant doué*, 7ᵉ éd., Paris, Presses universitaires de France, 1993, 130 p.

PETIT, M. *La Gestalt*, Paris, Éditions ESF, 1984, 156 p.

PHANEUF, Y. *Le droit à l'émotion chez les hommes*, mémoire de DESA présenté au Centre de relation d'aide de Montréal, 1997, 194 p.

PORTELANCE, C. *La communication authentique*, Montréal, Les Éditions du CRAM inc., 1994, 220 p.

PORTELANCE, C. *La liberté dans la relation affective*, Montréal, Les Éditions du CRAM inc., 1996, 283 p.

PORTELANCE, C. *Les mécanismes de défense*, document de cours, Montréal, Les Éditions du CRAM inc., 1994, 42 p.

PORTELANCE, C. *Les patterns*, document de cours, Montréal, Les Éditions du CRAM inc., 1993, 30 p.

PORTELANCE, C. *Relation d'aide et amour de soi*, Montréal, Les Éditions du CRAM inc., 1990, 409 p.

PORTELANCE, C. *Vivre en couple... et heureux, c'est possible*, Montréal, Les Éditions du CRAM inc., 1999, 288 p.

RIVARD, G. *Le cycle de l'oubli, brisez l'isolement vécu seul ou à deux*, Montréal, Les Éditions de la Traversée, 1997, 205 p.

SALOMÉ, J. *À corps et à cris*, cassettes, Chateauguay, Les Éditions Mailloux-D'amours inc.

SILLAMY, N. *Dictionnaire de la psychologie*, Paris, Larousse, 1989, 290 p.

STOLTENBERG, J. *Peut-on être un homme sans faire le mâle ?*, Montréal, Les Éditions de l'Homme, 1995, 344 p.

WINNICOTT, D.W. *Le processus de maturation chez l'enfant*, Paris, P.B. Payot, 1980, 280 p.

CONFÉRENCES ET ATELIERS

Pour toute information concernant les conférences que M. Yvan Phaneuf donnera relativement au présent livre intitulé

Les masques des hommes : Comment et pourquoi les hommes cachent-ils leurs émotions ?

ou les ateliers ayant pour thème

Les masques des hommes : Les connaître pour mieux les retirer !

vous pouvez communiquer avec M. Yvan Phaneuf au (819) 474-5888.